Feil · Wessinghage · Reichenauer-Feil
Body-Coach – Mach das Beste aus dir

Dr. rer. nat. Wolfgang Feil
Biologe und Sportwissenschaftler, Vitalstoffexperte und Ernährungsberater vieler Profisportler sowie Bundesligavereine. Seit 1995 Leiter einer Forschungsgruppe Darmgesundheit und Neurodermitis. Dr. Wolfgang Feil hat zahlreiche Bücher im Bereich Ernährungsmedizin veröffentlicht. Er ist Marathon-Läufer.

Dr. med. Thomas Wessinghage
Facharzt für Orthopädie, Physikalische und Rehabilitative Medizin mit der Zusatzbezeichnung „Sportmedizin". Seit 2001 ist Dr. Wessinghage Dozent für Orthopädie und Biomechanik an der Fachhochschule Kaiserslautern-Pirmasens, seit 2004 Dozent an der Universität Flensburg. Er ist Autor und Dozent in den Bereichen „Laufen" und „Ernährung". Dr. Thomas Wessinghage ist ein Ausnahmeathlet mit internationalen Erfolgen über verschiedene Laufdistanzen.

Andrea Reichenauer-Feil
Diplomkauffrau und Germanistin. Dozentin in der Erwachsenenbildung. Sie hat eine Ausbildung im Bereich Erfolgs- und Mentalcoaching bei den bekannten Trainern Anthony Robbins und Jörg Löhr absolviert. Die Hobby-Läuferin Andrea Reichenauer-Feil ist Inhaberin der Sporternährungsfirma ULTRA SPORTS.

Dr. Wolfgang Feil · Dr. Thomas Wessinghage
Andrea Reichenauer-Feil

Body-Coach

Mach das Beste aus dir

- Wie Sie durch richtiges Zusammenspiel von Ernährung, Bewegung & Co. Ihren Traum von sich selbst verwirklichen

Inhalt

Warum Fitness kein Traum bleiben muss. Ab **Seite 7**

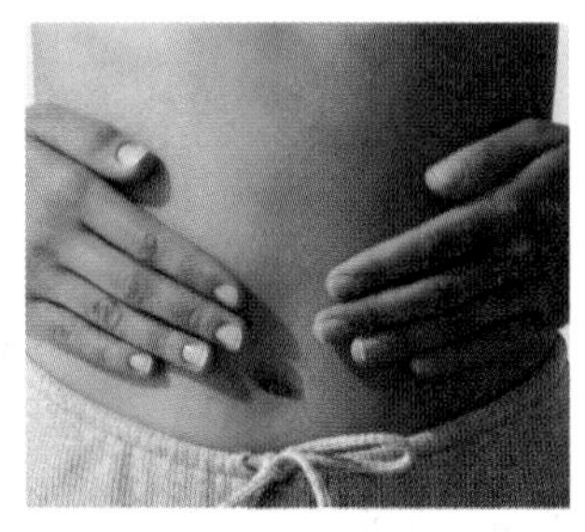

Der Darm übernimmt zentrale Funktionen im Organismus. Mehr dazu ab **Seite 22**

Schönheit und Vitalität hängen mit dem Stoffwechsel zusammen. Ab **Seite 52**

EINFÜHRUNG

COACH 1 – DARM-TUNING

COACH 2 – STOFFWECHSEL-TUNING

COACH 3 – BINDEGEWEBS-TUNING

COACH 4 – ERNÄHRUNGS-TUNING

ANHANG

Spannkraft und Dynamik durch eine gute Bindegewebsstruktur. Ab **Seite 77**

Nährstoffe optimal nutzen. Ab **Seite 98**

Checken Sie selbst Ihre Vitalität. **Seite 128**

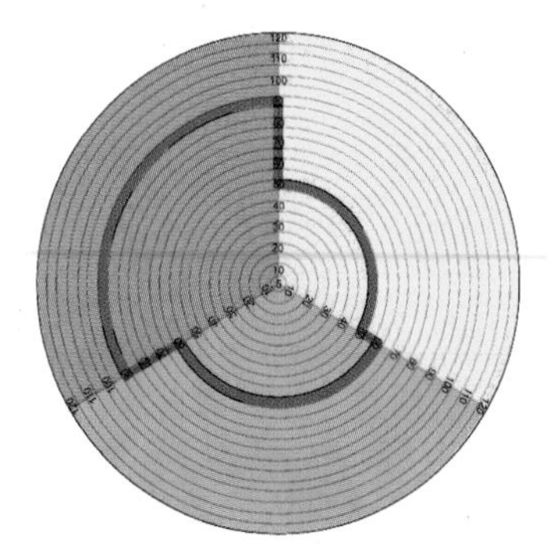

EINFÜHRUNG

Wer träumt nicht davon, fit und schön zu sein, sein Idealgewicht zu erreichen und auf Dauer zu halten? Wer möchte nicht das Beste aus sich machen und dabei den größtmöglichen Spaß haben? Hier setzt der Body-Coach an. Er zeigt Ihnen, wie Sie durch das richtige Zusammenspiel von Ernährung, Bewegung und anderen Faktoren Ihren Traum von sich selbst verwirklichen können. Es ist gar nicht so schwer. Probieren Sie es aus!

Energie durch Body-Coaching

Herzlichen Glückwunsch, Sie haben sich dazu entschlossen, in Ihrem Leben etwas zu ändern! Vielleicht haben Sie auch schon Freunde, Bekannte und Arbeitskollegen bewundert, die sich selbst bei Dauerstress nicht aus der Ruhe bringen lassen. Es gibt Menschen, die trotz hoher Anforderungen im Alltag immer noch Zeit für ihre eigenen Bedürfnisse finden, die sich abends noch zu sportlicher Betätigung aufraffen und ihre Mitgliedschaft im Fitness-Studio voll auskosten.

Diesen Menschen scheint das Problem zu eng gewordener Kleidungsstücke fremd zu sein, sie haben offensichtlich keine Alltagssorgen. Trotz voller Terminkalender gelingt es ihnen, Zeit für Kino- und Theaterbesuche zu finden, und sie haben schon die neuesten Bestseller gelesen, während Sie sich noch fragen, wann Sie überhaupt mal wieder ein Buch in die Hand nehmen können.

Den Glücklichen scheint nichts zu viel zu sein. Diese Menschen verfügen über etwas, wovon Sie derzeit zu wenig haben: die Energie, das Leben in vollen Zügen auszukosten.

Aber woher beziehe ich mehr Energie? Wie kann ich meine Vitalität steigern? Auf diese Fragen finden Sie im „Body-Coach" die Antwort. Dieses Buch gibt Ihnen viele praktische Hilfestellungen, damit Sie mit mehr Vitalität Ihren Traum eines erfüllten Lebens verwirklichen können. Wir helfen Ihnen, die Körperwahrnehmung zu verbessern, dann wird sich auch Ihre Figur Ihren Vorstellungen anpassen, und Sie werden einfach mehr vom Leben haben.

▶ Wer möchte nicht so voller Elan sein?

Vitalität erhöht die Lebensqualität

Zuerst werden Sie mit drei Vitalitätschecks Ihren derzeitigen Vitalitätsgrad feststellen. Anhand der Testergebnisse können Sie dann Ziele formulieren und Pläne entwickeln, wie Sie die gesteckten Ziele auch erreichen. Anschließend gehen Sie tatkräftig an die Umsetzung Ihrer Vision, und wir werden Sie dabei liebevoll unterstützen – mit Tipps, Motivationstricks und vielen nützlichen Rezepten.

Das Vitalitätsrad

Das Maß unserer Lebensenergie ist eine Frage der Balance einzelner Lebensbereiche. Wir unterscheiden hierbei den sozialen, den beruflichen und den körperlichen Bereich. Stellen wir uns unsere Vitalität als Rad vor, das sich aus den Feldern Sozial-Kompetenz, Stärken-Kompetenz und Body-Kompetenz zusammensetzt. Wenn wir uns nun die einzelnen Lebensbereiche und ihr Verhältnis zueinander ansehen, wissen wir, wie ausgeglichen die Bereiche sind und wo wir Optimierungspotenzial haben, um unsere Vitalität zu steigern.

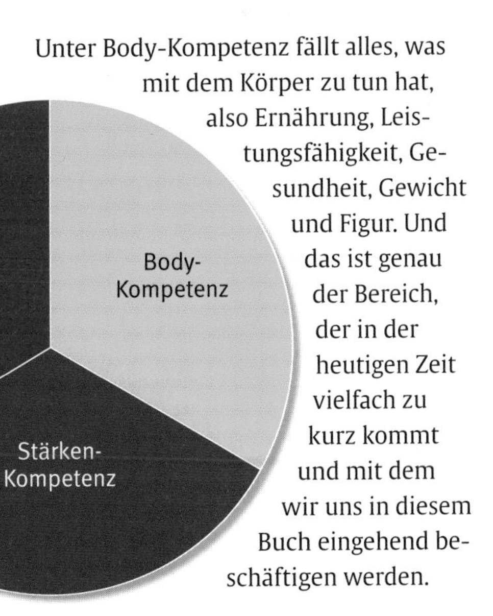

▶ Das Rad der Vitalität setzt sich zusammen aus den Bereichen Sozial-Kompetenz, Stärken-Kompetenz und Body-Kompetenz.

In den Bereich Sozial-Kompetenz fallen alle Beziehungen zu anderen Menschen – sowohl zur Familie als auch zu Freunden und Arbeitskollegen. Darüber hinaus sind hier Kommunikationsfähigkeiten und ehrenamtliches Engagement angesiedelt.

Als Stärken-Kompetenz werden für den Beruf notwendige Fertigkeiten bezeichnet sowie die Fähigkeit, berufliche Ziele zu erreichen – wobei wir Hausfrau und Mutter selbstverständlich als einen ganz wichtigen Beruf ansehen.

Unter Body-Kompetenz fällt alles, was mit dem Körper zu tun hat, also Ernährung, Leistungsfähigkeit, Gesundheit, Gewicht und Figur. Und das ist genau der Bereich, der in der heutigen Zeit vielfach zu kurz kommt und mit dem wir uns in diesem Buch eingehend beschäftigen werden.

Vitalitätsmuster – eckige Räder laufen nicht rund

Eine Grundvoraussetzung für Vitalität ist Harmonie: Alle drei Lebensbereiche sind im Gleichgewicht, keiner nimmt auf Kosten der anderen zu viel Platz ein. Sind die Lebensbereiche jedoch unausgeglichen, sind wir latent unzufrieden – oftmals, ohne genau zu wissen warum. Aus dieser Situation heraus reagieren wir häufig unangemessen und verstehen unser Verhalten selbst nicht mehr. Wir haben ein Stadium der Unzufriedenheit erreicht, in dem wir nur noch über sehr wenig Lebensenergie verfügen. Wir sind eigentlich ständig auf der Suche nach irgendetwas, das wir nicht näher definieren können.

Um im Bild des Rades zu bleiben: Eckige Räder rollen nicht, und genau so sind unausgeglichene Vitalitätsmuster die Ursache dafür, dass unser Leben nicht rund läuft.

Je nachdem, welcher Bereich dominant ist und welcher eher vernachlässigt wird, bilden sich bestimmte Verhaltensmuster, Vorlieben und Defizite aus. Hier zwei Beispiele:

Stärken-Kompetenz dominiert – Body-Kompetenz ist kaum ausgeprägt

Ein Mensch mit einem solchen Vitalitätsrad stellt den Beruf über alles. Er nimmt sich nur wenig Zeit für seine Familie, und für sich selbst sorgt er kaum. Beziehungen werden nicht gepflegt, Freunde werden zu netten Bekannten. Seine Herausforderungen liegen klar im Bereich der Sozial- und

Sozial-Kompetenz
Body-Kompetenz
Stärken-Kompetenz

◀ Wird ein Lebensbereich vernachlässigt, bekommt unser Vitalitätsrad Ecken bzw. Kanten und kann nicht rund laufen.

Body-Kompetenz. Ändert dieser Mensch nichts an seiner Situation, werden sich Freunde und Familie früher oder später von ihm zurückziehen und ihre Aktivitäten ohne ihn planen. Er wird in ihr Leben nicht mehr aktiv einbezogen und spielt eigentlich keine Rolle mehr, außer vielleicht als „Geldverdiener" und Versorger der Familie.

Auch körperlich geht es dann meist bergab: Die Fitness lässt nach, Unbeweglichkeit und Körpergewicht nehmen zu. Der Stärken-Kompetenz-Typ fühlt sich in seiner Haut nicht mehr wohl. Die Folge sind die üblichen „Zivilisationskrankheiten" sowie ein Kleiderschrank mit wachsenden Konfektionsgrößen.

Sozial-Kompetenz überwiegt – Stärken-Kompetenz wird vernachlässigt

Dieser Mensch ist im Familien- und Freundeskreis sehr engagiert. Er hat immer ein offenes Ohr und eine helfende Hand für die Belange seiner Umwelt, vergisst jedoch darüber sich selbst. Er tut sich schwer damit, seine eigenen Interessen wahrzunehmen und auch mal „Nein" zu sagen. Er macht sich zu abhängig von der Anerkennung anderer und hat zu wenig Vertrauen in seine eigenen Fähigkeiten.

Der Sozial-Kompetenz-Typ betrachtet seine Arbeit nur als Job und erlebt dabei keine wirkliche Erfüllung. Gerne würde er mehr oder etwas anderes tun, lässt sich aber vom Alltag so vereinnahmen, dass die Energie für etwas Neues nicht ausreicht. Eine unterschwellige Unzufriedenheit ist die Folge.

Auch sich selbst vernachlässigt dieser Typus. Er kümmert sich nicht ausreichend um seine Gesundheit. Er achtet nicht auf seine Ernährung und treibt keinen Sport. Die Folgen sind uns allen bekannt: Die Beweglichkeit lässt zu wünschen übrig, Kondition bzw. Fitness verabschieden sich nach und nach. Während die Ausstrahlung schwindet, wächst auch dieser Typus zunehmend aus seiner Garderobe heraus.

◀ Der Sozial-Kompetenz-Typ vernachlässigt häufig seine Body-Kompetenz.

Body-Kompetenz im Berufsalltag

Natürlich sind auch alle anderen Kombinationen denkbar. Schauen Sie sich einmal im Büro oder im Freundeskreis um: Sie werden erstaunt sein, wie viele Menschen in ihrem Leben die Schwerpunkte so verteilen, dass die Lebensbereiche nicht miteinander harmonieren. Sie konzentrieren sich in der Regel nur auf eine Stärke und vernachlässigen den Rest. Kennen Sie nicht auch den sportlichen Typ mit einer hohen Body-Kompetenz, der seine anderen Sozialkontakte nicht pflegt, oder den, der lieber Tennis spielt, als sich um seine berufliche Laufbahn zu kümmern?

Trotz der Fixierung unserer Gesellschaft auf Fitness und Gesundheit ist die Body-Kompetenz selten gut ausgeprägt.

Das hängt zum einen mit der Konzentration auf das Erwerbsleben zusammen. Die wenigsten Tätigkeiten bieten heute noch ausreichend Bewegungsmöglichkeiten, und es gibt in vielen Berufen eine ausgeprägte Kultur des „Überstunden-Schiebens". Und wer möchte in Zeiten der Arbeitsplatzunsicherheit schon mit einer Sporttasche gesehen werden? Zum anderen hängt es mit der Art und Weise zusammen, wie wir uns ernähren: Wir greifen aus Zeitgründen zu Industrieprodukten, sind immer in Eile und nehmen uns zum Essen zu wenig Zeit. Die kleinen, meist ungesunden Happen zwischendurch hinterlassen aber durchaus ihre Spuren. Treffen mangelnde Bewegung und ungesunde Ernährung zusammen, ist es um die Body-Kompetenz geschehen.

Vitalitätsgrad – große Räder laufen ruhiger

Doch nur wenn wir ein ausgeglichenes Verhältnis der drei Lebensbereiche erreicht haben, können wir den Grad unserer Vitalität steigern, indem wir uns in allen Kompetenzbereichen gleichmäßig weiterentwickeln, unser Rad also dementsprechend vergrößern.

◀ Vitalität bringt Lebensfreude.

Das hat mehrere Vorteile: Große Räder laufen ruhiger und sind auch weniger anfällig für Störungen. Sind sie erst einmal in Schwung, brauchen sie außerdem weniger Energie, um in Bewegung zu bleiben. Je größer unsere Vitalität ist, umso leichter bewältigen wir die physischen und psychischen Herausforderungen des Alltags. Wir fühlen uns fitter, können Probleme leichter angehen und kompetenter lösen. Unsere Zufriedenheit wächst, und wir strahlen Zuversicht und Lebensmut aus. Wir mögen uns und unsere Umwelt, und wir sind glücklich.

Wie steht es um Ihre Vitalität?

Bevor wir Pläne für Veränderungen in unserem Leben schmieden, bleibt festzustellen, wie es um uns steht. Denn nur wenn man seine Position kennt, kann man ein Ziel anvisieren.

Um den Grad unserer Vitalität näher zu bestimmen, haben wir drei Fragebogen entwickelt, für jeden Lebensbereich einen. Sie finden diese Fragebogen sowie eine Auswertungstabelle auf den Seiten 130–139.

Nehmen Sie sich jetzt etwas Zeit, um die Fragen zu beantworten. Und folgen Sie dabei nicht nur Ihrem Verstand, sondern auch Ihrer Intuition. In der Regel ist die Antwort, die Ihnen zuerst in den Sinn kommt, zutreffend.

Je sorgfältiger Sie bei der Durchführung dieser Checks vorgehen, desto leichter fällt es Ihnen nachher, die richtigen Schlüsse aus den Ergebnissen zu ziehen und daraus entsprechend Ihre Ziele zu formulieren. Das Vitalitätsrad dient dazu, die Ergebnisse zu veranschaulichen. Tragen Sie Ihre Werte dort ein, und Sie werden sofort sehen, wo Sie einen Ausgleich schaffen können.

Vielleicht wundern Sie sich, warum Sie sich überhaupt um die Bereiche Soziales und Berufliches kümmern sollen und warum wir – als ausgewiesene Experten für die Body-Kompetenz – so viel Wert auf die Sozial- und Stärken-Kompetenz legen. Auch wenn sich in diesem Buch alles um den Körper dreht, wollen wir doch aufzeigen, dass unsere körperliche Fitness eng mit unserem Leben verbunden ist.

Für den Fall, dass Sie nach Durchführung der Tests das Gefühl haben, Sie möchten auch den Bereich Sozial- oder Stärken-Kompetenz ausbauen, werfen Sie doch einen Blick in unsere Literaturliste (Seite 160). Dort finden Sie Ratgeber von Experten auf diesen Gebieten. Unser Fachgebiet ist der Körper, für dessen Coaching wir uns nun voll und ganz einsetzen.

Das Fallbeispiel „Darling"

Zur Verdeutlichung schauen wir uns ein typisches Beispiel an, das Fallbeispiel eines Menschen, den wir „Darling" nennen. Er ist im wahrsten Sinne des Wortes Everybody's Darling.

Darling hat eine sehr hohe Sozial-Kompetenz, eine relativ niedrige Stärken-Kompetenz und eine noch niedrigere Body-Kompetenz (sehen Sie sich sein Vitalitätsrad auf Seite 129 an). Vermutlich ist Darling immer für die Sorgen und Nöte anderer da. Er ist der Dreh- und Angelpunkt für seine Familie und seinen Freundeskreis. Ein gesuchter Zuhörer, Ratgeber und Helfer in allen Lebenslagen. Nichts ist ihm zu viel, wenn er damit anderen helfen kann. Nur leider hat er darüber seine eigenen Bedürfnisse ziemlich vernachlässigt.

Weder mit seiner beruflichen Situation ist Darling besonders zufrieden noch mit sich selbst, seiner Ausstrahlung, seiner Figur und seiner Fitness. Beruflich würde er lieber etwas ganz anderes tun, etwas Neues dazulernen, sich weiterentwickeln und einen attraktiveren Posten einnehmen. Aber Darling steckt im Alltag fest und hat nicht die Kraft, etwas an seiner Situation zu ändern.

Darling ist höchstwahrscheinlich auch etwas übergewichtig und nicht wirklich fit. Natürlich hat er sich schon oft vorgenommen, etwas für Kondition und Figur zu tun, aber irgendwie kommt immer etwas anderes dazwischen. Einmal ist es ein Anruf, dann macht ihm das Wetter einen Strich durch die Rechnung, ein anderes Mal die Verlockung eines gut gefüllten Buffets ...

Nachdem Darling seinen Vitalitätsgrad bestimmt und sein Vitalitätsrad aufgezeichnet hat, fällt es ihm wie Schuppen von den Augen: „Wenn ich jetzt nicht endlich anfange, etwas für mich selbst zu tun, also meine Body-Kompetenz zu erhöhen, dann ändert sich nie etwas!" Also fasst er den Entschluss, körperlich fitter zu werden und abzunehmen.

Die richtige Strategie führt zum Erfolg

Der Vorsatz allein genügt nicht. Nur mit einer klaren Zielsetzung entstehen konkrete Pläne, die auch umgesetzt werden können. Deshalb hält Darling seine Ziele schriftlich fest:

- Ich werde in 3 Monaten 3 Kilo abgenommen haben.
- Ich werde in 3 Monaten den Berg wieder locker mit dem Fahrrad hochkommen, ohne abzusteigen.
- Ich lasse mich nicht mehr „Couch Potatoe" nennen.

Jetzt überlegt Darling, was getan werden kann, um die selbst gesteckten Ziele auch zu erreichen. Er macht sich einen Plan mit konkreten Aufgaben.

▲ Gute Laufschuhe sind ein Anfang.

Zwischenziele werden definiert, damit der Erfolg seiner Bemühungen immer wieder überprüft werden kann. Darling setzt sich so genannte Meilensteine:

- Ab sofort werde ich mir eine Mahlzeit täglich selbst zubereiten.
- Ab sofort esse ich abends vor dem Fernseher nicht mehr.
- Jeden Mittwoch lasse ich das Abendessen ausfallen.
- Morgen kaufe ich mir ein Paar gute Laufschuhe.
- Ab Samstag gehe ich jede Woche zweimal zu unserem Lauftreff.
- Mittwochabends gehe ich ins Schwimmbad und anschließend in die Sauna (das ausgefallene Abendessen wird damit zeitlich überbrückt).
- In 4 Wochen werde ich 1 Kilo leichter sein – dafür gönne ich mir dann eine schöne Massage.
- In 8 Wochen werden es 2 Kilo weniger sein – dafür gönne ich mir ein verlängertes Wochenende ganz für mich.
- In 12 Wochen werden es 3 Kilo sein – dafür leiste ich mir dann ein Wochenende lang ein Cabrio und mache mit meiner Freundin einen schönen Ausflug.

Anstatt unseren Probanden noch weiter zu beobachten, sollten wir nun selbst ans Werk gehen. Sicherlich haben Sie schon eine Ahnung, wohin die Reise gehen soll.

Da Sie sich dieses Buch gekauft haben, gehen wir davon aus, dass Sie Ihren Body tunen möchten und dass Sie dafür auch einen triftigen Grund haben. Wahrscheinlich haben die Tests ergeben, dass Ihre Body-Kompetenz nicht im oberen Bereich liegt. Vielleicht haben sie auch gezeigt, dass noch ein anderer Bereich eher schwach ausgebildet ist. Das ist grundsätzlich kein Problem: Wichtig ist hingegen, einen Anfang zu machen. Und genau dabei möchten wir Sie unterstützen.

Sie haben sich sicherlich auch früher schon öfter vorgenommen, etwas in Ihrem Leben zu verändern. Sie waren eventuell auch eine ganze Zeit lang erfolgreich, doch auf einmal war es vorbei mit dem Elan, und der alte Schlendrian hat sich wieder eingeschlichen. Dann haben Sie sich bestimmt über sich selbst geärgert, doch das hat letztendlich auch nichts bewirkt.

Diese Zeiten sind jetzt vorbei – wir werden Ihnen im Folgenden einen Weg aufzeigen, der sicher zum Ziel führt. Ihnen haben bislang einfach nur ein paar (leicht erlernbare) Techniken gefehlt, mit denen Sie sich immer wieder aufs Neue motivieren können.

Konkrete Ziele, damit Ihre Träume wahr werden

Eine Grundvoraussetzung dafür, im Leben wirklich etwas zu verändern, sind konkrete Ziele. Ganz gleich, ob es sich um etwas richtig Großes oder „nur“ um eine kleine Angewohnheit handelt, Sie brauchen ein klares Ziel vor Augen. Das haben Sie immer gehabt, denken Sie jetzt? Aber hatten Sie es auch ausführlich schriftlich formuliert?

Erst dieser Schritt macht nämlich Ihren Vorsatz verbindlich. Auf schriftliche Unterlagen können Sie zurückgreifen, Sie können sie immer wieder durchlesen und sich dadurch neu motivieren. Vielleicht wollen Sie Ihr Ziel ja auch in ein paar Wochen neu definieren. Vielleicht stellen Sie während des Veränderungsprozesses fest, dass das, was Sie ins Auge gefasst haben, gar nicht Ihr wirkliches Ziel war. Mit einer schriftlichen Unterlage haben Sie etwas in der Hand und können Ihren Vorsatz ganz bewusst nachvollziehen und an Ihre echten Wünsche anpassen – natürlich wieder schriftlich.

Legen Sie sich also ein „persönliches“ Buch zu und halten Sie darin Ihre Ziele und Gedanken fest. Im Buch- und Schreibwarenhandel gibt es mittlerweile wunderschöne gebundene Blankbooks (Notizbücher „ohne alles“). Wählen Sie ein Exemplar aus, das Ihnen besonders gut gefällt. Es soll Ihnen richtig Lust machen, damit zu arbeiten.

AUS DER PRAXIS

Auf die richtige Formulierung kommt es an

1. Halten Sie Ihre Ziele schriftlich fest, nur so behalten Sie sie im Blick.

2. Motivieren Sie sich dabei:
   Nicht: Der Speck muss weg!
   Sondern: Ich will wieder richtig gut aussehen!

3. Formulieren Sie positiv:
   Nicht: Ich will nicht mehr so dick sein!
   Sondern: 2 Kilo weniger, und ich sehe schon richtig gut aus!

4. Beschreiben Sie Ihr Ziel so konkret wie möglich:
   Nicht: Ich will abnehmen!
   Sondern: Ich nehme 2 Kilo in 6 Wochen ab!

5. Lassen Sie alle Ihre Sinne an Ihrem Ziel teilhaben:
   Nicht: Ich gehe regelmäßig laufen.
   Sondern: Ich habe Spaß am Laufen, ich blinzle in die Sonne, ich höre die Vögel zwitschern, ich grüße nette Leute, und an der Bäckerei riecht es wieder so lecker – ob ich nachher wohl frische Brötchen mitnehme?

6. Setzen Sie sich nur Ziele, deren Verwirklichung in Ihrer Hand liegt.

7. Legen Sie einen zeitlichen Rahmen fest, und achten Sie darauf, dass Ihr Vorhaben auch realisierbar ist.

8. Lesen Sie Ihre Ziele immer wieder durch (vielleicht einmal im Monat), und scheuen Sie sich nicht, Ihre Ziele zu verändern und anzupassen.

9. Halten Sie bei jedem Ziel fest, warum Sie es erreichen wollen. Das motiviert. Beispielsweise: Ich nehme diese 3 Kilo ab, damit ich in meinem Radanzug wieder so richtig flott aussehe und den Berg mühelos hochradeln kann.

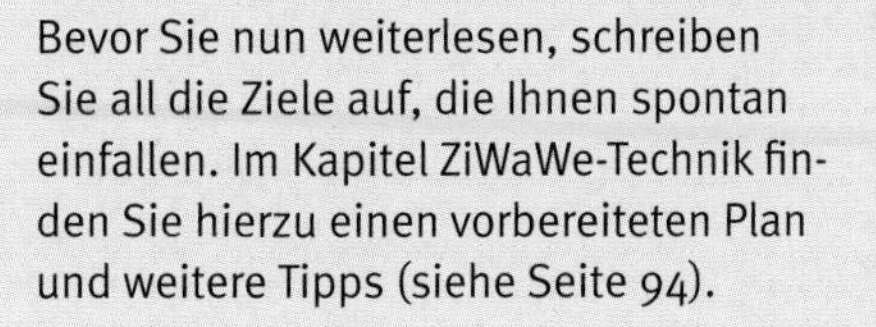

Bevor Sie nun weiterlesen, schreiben Sie all die Ziele auf, die Ihnen spontan einfallen. Im Kapitel ZiWaWe-Technik finden Sie hierzu einen vorbereiteten Plan und weitere Tipps (siehe Seite 94).

Mehr Vitalität durch Body-Coaching

Sie finden in den folgenden Kapiteln viel Wissenswertes über die Funktionsweise unserer Verdauung, die Ernährung und wichtige Stoffwechselvorgänge. Wir werden Ihnen aufzeigen, wie Sie mehr Kalorien verbrauchen, aber auch, wie Sie beim Essen die legendären Kalorienbomben umgehen können. Sie erfahren, wie Sie durch intelligente Nahrungsmittelauswahl und -zusammenstellung Ihren Stoffwechsel aktivieren und Ihre Vitalität verbessern können.

Wir haben Ihnen zu Beginn erläutert, dass Sie zur Vitalitätssteigerung die verschiedenen Bereiche Ihres Lebens in ein Gleichgewicht bringen sollten. In diesem Buch gehen wir schwerpunktmäßig auf die Body-Kompetenz ein. Wenn Sie dann Lust haben, auf den Gebieten Stärken- und Sozial-Kompetenz weiter an Ihrer Entwicklung zu arbeiten, finden Sie im Anhang eine Liste von Büchern, Audio-Kursen und Seminarangeboten (siehe Seite 160).

Der richtige Weg zum Traumkörper

Welche Möglichkeiten haben wir denn nun eigentlich, unsere Body-Kompetenz zu verbessern?

Grundlage für ein erfolgreiches Body-Coaching ist sicherlich die richtige Auswahl und Zusammensetzung der Lebensmittel, also das Ernährungs-Tuning. Denn eine intelligente, optimierte Zufuhr der Nahrungsmittel verbessert unseren Energiehaushalt.

Damit Sie verstehen, warum das so ist, beginnen wir in diesem Kapitel mit dem Verdauungs-Tuning. Hier geht es darum, wie Sie Ihren Darm so unterstützen können, dass er in die Lage versetzt wird, das Optimum aus Ihrer Nahrung herauszuholen. Ganz gleich, was Sie essen, wenn es nicht richtig verwertet wird,

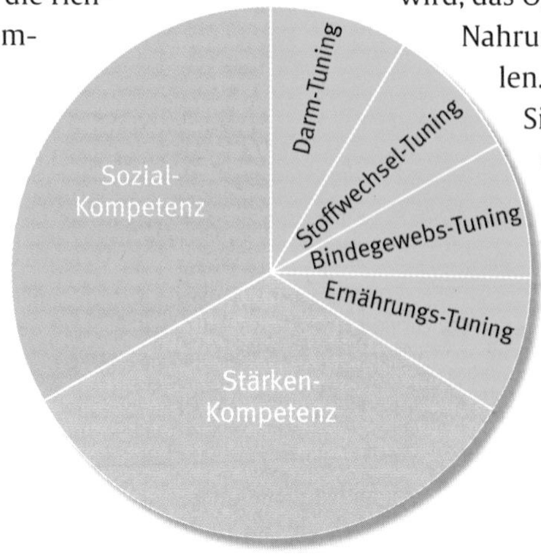

◀ Aus diesen Bereichen setzt sich die Body-Kompetenz zusammen.

▲ Bewegung ist ein zentraler Bestandteil des Body-Coachings.

nützt es dem Körper nicht viel. Im zweiten Schritt kümmern wir uns dann um ein effektives Stoffwechsel-Tuning. Sie erfahren, wie Sie Ihren Stoffwechsel und damit sich selbst so richtig in Schwung bringen können. Im Kapitel Bindegewebs-Tuning geht es darum, dass Sehnen, Bänder und Gelenke unseren Anforderungen auch standhalten können. Außerdem sorgen wir dafür, dass Bauch, Beine und Po eine attraktive Silhouette bilden. Im Kapitel Ernährungs-Tuning kommen wir am Schluss zu den eigentlichen Energielieferanten, also zu den Lebensmitteln und ihren Inhaltsstoffen. Sie bilden die Basis für alle Bereiche des Body-Coachings.

Zugegeben, es gibt einiges an theoretischem Wissen, das wir Ihnen vermitteln möchten. Damit Sie bei der Umsetzung in die Praxis aber den Spaß nicht verlieren, haben wir für Sie die Motivationstechniken der besten Trainer zusammengestellt und auf die jeweiligen Situationen abgestimmt. Sie werden sehen: Mit der richtigen Methode erreichen Sie Ihre Ziele ganz bestimmt. Wir wünschen Ihnen immer wieder neue Aha-Erlebnisse und viel Erfolg!

Coach 1

DARM-TUNING

Sie ernähren sich bestens, Sie essen ausreichend Obst und Gemüse, Vollkornprodukte, wenig Fleisch und Fett und fühlen sich dennoch oft schlapp und müde? In diesem Kapitel erfahren Sie, was Sie dagegen tun können, warum Ihr Darm ein so wichtiges Organ ist und wie Sie durch ihn Energie und Fitness steigern können.

Die Body-Zentrale Darm

Dass unser Verdauungssystem eine wichtige Rolle in unserem Körper spielt, kann man schon an den vielen Redewendungen ablesen, die sich auf diesen Bereich beziehen. Ich entscheide etwas „aus dem Bauch heraus", eine unangenehme Situation ist mir „auf den Magen geschlagen", wenn ich verliebt bin, habe ich „Schmetterlinge im Bauch" usw. Und tatsächlich reagieren wir auf Stress oder belastende Situationen mit Bauchschmerzen und sogar Verdauungsstörungen. Auch positive Aufregung kann sich bei manchen Menschen auf den Magen-Darm-Trakt auswirken.

Die Funktionen des Darms sind vielfältig, und wenn er seinen Dienst verweigert oder ihn nicht mehr richtig ausüben kann, bekommen wir das mehr oder weniger direkt zu spüren. Ist der Darm hingegen gesund, fühlen wir uns wohl.

Bis in die Haarspitzen

Kennen Sie das auch? Ihren Haaren fehlt der Glanz, Ihre Nägel brechen und irgendwie mangelt es Ihrer Haut an Spannkraft und Ausstrahlung. Vielleicht sagen Sie sich: „Das liegt am Alter, so ist das eben, wenn die Vier vorne steht." Weit gefehlt! So ist das, wenn der Körper nicht in ausreichender Form mit allen Nährstoffen versorgt wird. Und das hängt meist damit zusammen, dass der Darm die vorhandenen Nährstoffe nicht richtig aufnehmen kann. So gesehen handelt es sich um ein Problem ihrer internen Logistik.

Haben Sie auch das Gefühl, dass Ihr Körpergewicht nicht mehr in einem direkten Zusammenhang mit der Kalorienaufnahme steht, zumindest nicht, wenn es nach unten gehen soll? Vor ein paar Jahren war es noch so einfach,

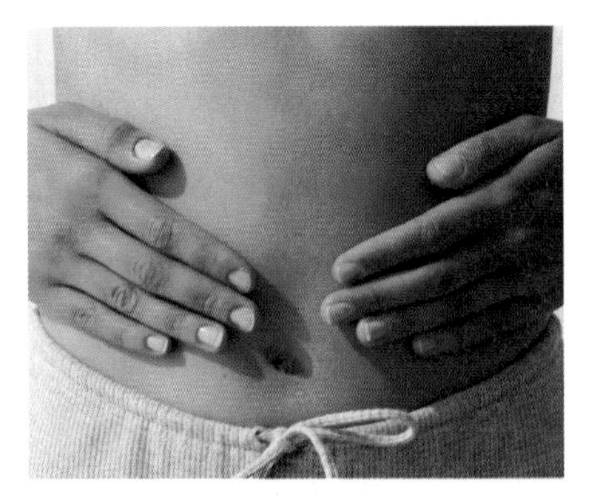

▲ Unser Darm hat zentrale Funktionen.

1 oder 2 Kilo abzunehmen: Sie mussten nur den Tag über kontrollierter essen und zweimal das Abendessen ausfallen lassen. Heute kleben die überflüssigen Pfunde wie Kletten, und weniger zu essen zeigt kaum Erfolg. Auch hier wird ein Problem des internen Transportsystems deutlich: Ihr Stoffwechsel hat sich verlangsamt.

Wenn Ihnen das alles bekannt vorkommt, gehören auch Sie zu den vielen Menschen, deren Darmgesundheit etwas mehr Aufmerksamkeit benötigt. In diesem Kapitel erfahren Sie, was Darmgesundheit ist, wie diese Einfluss nimmt auf Ihre Vitalität, Ihren Stoffwechsel, Ihr Wohlbefinden und auch auf Ihre Schönheit. Und vor allem lesen Sie, was Sie tun können, um positiven Einfluss auf Ihren Darm auszuüben.

Millionen von Menschen helfen ihrer Verdauung mit Abführmitteln nach und zerstören dabei die wertvolle Darmflora. Tun Sie das bitte nicht, denn dies ist der Beginn eines destruktiven Kreislaufs! Und es gibt weit bessere Methoden, die Verdauung zu aktivieren.

Ein Umschlagplatz der Superlative

Der Darm ist ein sehr langes röhrenförmiges, durch viele Windungen verschlungenes Organ. Er besteht aus einer Darmschleimhaut, welche wiederum mit Millionen kleiner Zotten besetzt ist. Der Darm ist dadurch ein riesengroßer Umschlagplatz. Würde man seine Ein- und Ausstülpungen auseinanderfalten und die Fläche der gesamten Darmschleimhaut eines Menschen ausmessen, käme man auf die Größe eines Fußballfeldes.

Bleiben wir beim Bild des Fußballfeldes, so kann man die Zotten des Darms mit den Grashalmen auf der Rasenfläche vergleichen. Wenn Sie etwas essen, passiert auf Ihrem inneren „Fußballfeld" eine ganze Menge: So viele Nährstoffe wie möglich werden durch die „Grashalme" aufgenommen. Bevor aber die Aufnahme erfolgen kann, muss die Nahrung durch die Verdauungssäfte im Darm in ihre kleinsten Bestandteile aufgeschlossen werden.

Da die Grashalme, also die Zotten des Darmes, jeden Tag Höchstleistungen vollbringen müssen, haben sie nur eine Lebensdauer von wenigen Tagen, bevor sie erneuert werden. Deshalb ist es so wichtig, dass wir über unsere Ernährung täglich die bestmögliche Nährstoffversorgung sicherstellen.

Die Verdauung

Der Darm ist eines der größten und wichtigsten Organe im menschlichen Körper. Er versorgt den Organismus mit Nähr- und Vitalstoffen, die er der aufgenommenen Nahrung entzieht, und dem Versorgungskreislauf des Körpers anschließend zur Verfügung stellt. Deshalb ist es so wichtig, dass der Darm gesund ist und gut funktioniert. Schauen wir uns die Aufgaben des Darms doch einmal etwas genauer an.

Die Check-in-Funktion des Darms

Der Verdauungsprozess beginnt bereits im Mund. Über die Mundschleimhaut können Flüssigkeit und Kohlenhydrate aufgenommen werden, denn unser Speichel enthält Verdauungsstoffe, die schon beim Kauen die Aufschlüsselung von Kohlenhydraten und Fetten einleiten. Pro Tag produzieren wir 0,5 bis 1,5 Liter Speichel. Er macht die Speise zudem gleitfähig und erleichtert so das Schlucken und den Transport durch die Speiseröhre.

Mit den Speisen auf Tour

Nach dem kurzen Weg durch die Speiseröhre landet der Speisebrei im Magen, wo die Nahrungsbestandteile durch den Magensaft – also auf biochemischem Weg – weiter zerkleinert werden. Der Magensaft hat einen hohen Anteil an Salzsäure, außerdem enthält er Pepsine, die zur Spaltung von Eiweiß dienen, Hormone und zwei für die Aufnahme von Vitamin B_{12} und Eisen sehr wichtige Substanzen. Der Rest der täglich produzierten bis zu 3 Liter Magensaft besteht aus Schleim.

Abhängig von der Zusammensetzung der Nahrung hat nach 1–4 Stunden etwa die Hälfte der Nahrung den Magen wieder verlassen. Wasser wird bereits nach 10–20 Minuten weitertransportiert, schwer verdauliche Nahrungsmittel hingegen, z. B.

Pilze und fette Speisen, sowie Unverdauliches verzögern die Darmpassage.

Im Dünndarm wird die Nahrung endgültig in ihre kleinsten Bestandteile zerlegt, neben den Spaltprodukten vor allem in Wasser und Salze, und vom Körper aufgenommen. Viele Einflüsse – hormoneller, mechanischer oder nervenbedingter Art – wirken auf den Dünndarm und seine Funktion. Die Peristaltik, also die Bewegung des Darms, transportiert den Speisebrei weiter, während der Verdauungsprozess läuft. Bis

Wissen

Fett ist nicht gleich Fett

Die Fettverdauung ist ein besonders interessanter Prozess. Über verschiedene Vor- und Zwischenstufen werden die unterschiedlichen Fettsäuren weiterverarbeitet. Die auf diesen Stufen entstehenden Substanzen beeinflussen das Risiko, einen Herzinfarkt oder Schlaganfall zu erleiden, oder an Diabetes mellitus (Zuckerkrankheit) zu erkranken entscheidend. Allgemein bekannt sind z. B. Prostaglandine (Gewebshormone) und Cholesterin.

Insbesondere das Cholesterin ist ein wichtiger, unverzichtbarer Baustoff unseres Organismus. Dabei unterscheidet man die Fraktionen HDL (high densitiy lipoprotein), LDL (low density lipoprotein) sowie VLDL (very low density lipoprotein). Während die Wirkung des HDL auf den Organismus als positiv erkannt worden ist, gelten LDL und VLDL als eindeutige Risikofaktoren für die oben genannten Krankheiten.

zu 2 Liter Verdauungssaft aus der Bauchspeicheldrüse werden täglich zugemischt. Darin enthalten sind einerseits Enzyme, die sich um die Eiweißspaltung kümmern, andererseits α-Amylase, die Kohlenhydrate (Stärke, Zucker) spaltet, und Lipasen, die für die Fette zuständig sind. Hinzu kommt noch etwa ein 3/4 Liter Galle aus der Leber, die in der Gallenblase zwischengelagert wird. Sie dient vor allem als Emulgator, macht also aus den Fettbestandteilen der Nahrung kleinste Tröpfchen, die durch die Darmwand aufgenommen werden können.

Die im Mund beginnende Kohlenhydratverdauung wird anschließend im Magen fortgesetzt und erst im Dünndarm abgeschlossen. Die verschiedenen in der Nahrung enthaltenen Kohlenhydrate werden schrittweise bis zu Glukose (Traubenzucker) aufgespalten. Sie wird von der Darmschleimhaut aufgenommen, ins Blut überführt und entweder direkt verbraucht oder als Glykogen in Leber und Muskulatur gespeichert. Diese Glykogenspeicher kann der Körper nun bei Bedarf zur Energiegewinnung heranziehen.

Die Verdauung von Eiweiß beginnt durch Einwirkung von Salzsäure und Pepsin im Magen. Im Dünndarm greifen die Enzyme der Bauchspeicheldrüse ein, sodass zu guter Letzt die Grundbausteine, nämlich die Aminosäuren, übrig bleiben, die dann ins Blut aufgenommen werden.

Auch Vitamine werden vom Darm aufgenommen, der über teilweise hoch spezifische Transportmechanismen in der Darmwand verfügt. Grundsätzlich ist dabei zwischen fettlöslichen (Vitamine E, D, A, K) und wasserlöslichen (allen übrigen) Vitaminen zu unterscheiden.

Im Dickdarm wird der Speisebrei eingedickt, gespeichert und in den Enddarm transportiert, um dort ausgeschieden zu werden. Zwischen 60 und 180 g Stuhl produziert der Mensch pro Tag. Zu den wichtigsten Aufgaben des Darms gehört es, Wasser und Mineralstoffe aufzunehmen bzw. in den Organismus zurückzuführen. Durchschnittlich trinken wir zwischen 1,5 und 3 Liter Flüssigkeit pro Tag, zudem produziert unser Körper täglich etwa 6 Liter verschiedener Sekrete (Speichel, Magensaft, Bauchspeicheldrüsensekret, Galle,

Wissen

Lebenswichtige Mineralstoffe

Damit unser Körper optimal funktionieren kann, benötigt er Mineralstoffe. Diese sind die wichtigsten:

- Bicarbonat (HCO_3^-)
- Chlorid (Cl^-)
- Eisen (Fe)
- Kalium (K^+)
- Kalzium (Ca^{++})
- Magnesium (Mg^{++})
- Natrium (Na^+)

Diese Mineralstoffe erfüllen lebenswichtige Funktionen. Schon geringste Schwankungen der Menge im Körper können dramatische Auswirkungen haben. So zieht ein zu großer Salzverlust beim Marathon in Verbindung mit übermäßigem Trinken von Wasser Muskelkrämpfe nach sich und kann zu Bewusstlosigkeit und sogar zum Tod führen. Der Salzmangel in Verbindung mit der Überwässerung lässt im Blut einen niedrigen osmotischen Druck entstehen. Infolgedessen saugen die Hirnzellen vermehrt Wasser aus dem Blut, wodurch der Hirndruck lebensgefährlich ansteigt.

TIPP

Die medizinische Empfehlung lautet: Nehmen Sie pro sportlicher Belastungsstunde 600 ml Flüssigkeit mit einem Natriumgehalt von 800 mg pro Liter (entsprechend 2 g Kochsalz pro Liter) zu sich.

Darmsaft), sodass vom Darm mindestens 7,5 Liter Flüssigkeit verarbeitet werden müssen. Das meiste davon wird im Dickdarm resorbiert, d.h. durch die Darmschleimhaut aufgenommen.

Die Check-out-Funktion des Darms

Der Darm dient dem Organismus nicht nur zur Aufnahme von Nähr- und Vitalstoffen, er scheidet auch eine Vielzahl von Wirk- und Schadstoffen aus. So verlassen mit der Gallenflüssigkeit beispielsweise fettlösliche Substanzen wie Cholesterin und Lezithin, Hormone, Medikamente usw. den Organismus. Die Ausscheidung vieler Stoffe wird erst möglich, wenn sie an andere Substanzen gebunden sind.

Manche lebenswichtige Substanzen, wie beispielsweise das Kalzium, durchlaufen in unserem Körper einen Kreislauf: Sie werden in höheren Darmabschnitten abgegeben und in tieferen Darmabschnitten wieder aufgenommen.

Stoffwechsel- und Immunorgan

Der Darm ist der Lebensraum einer großen Zahl von Mikroorganismen, etliche Milliarden pro Kubikzentimeter Darminhalt. Sie leben symbiotisch, das heißt, aus ihrer Anwesenheit zieht also auch der Mensch Nutzen. Unter anderem sorgen sie für die Umwandlung von Nährstoffen in resorbierbare Substanzen, also Substanzen, die der Körper aufnehmen kann. Sie stärken außerdem unser Immunsystem.

Eines der wichtigsten Zentren des menschlichen Immunsystems ist das Verdauungssystem, da es von der Mundhöhle bis zum Enddarm mit der Abwehr bzw. Kontrolle von Mikroorganismen zu tun hat. Der Darm ist sozusagen der Sicherheitsdienst unseres Körpers. Viele heute sehr häufige Überempfindlichkeiten, z. B. Nahrungsmittelallergien, entstehen im Zusammenhang mit der nicht angemessenen Reaktion auf fremde Eiweiße im Darm. Der Darm stellt also eine wichtige Grenze dar, an der Substanzen als körpereigene oder fremde und als nützlich oder schädlich erkannt werden.

Gestörte Darmfunktionen

Von einer Störung des Darms sind oft viele Funktionssysteme des menschlichen Organismus betroffen. Ist die Aufnahmefähigkeit des Darms reduziert, kann es zu Mangelerscheinungen mit sehr unterschiedlichen Symptomen kommen. Eine Störung der Darmfunktion muss aber nicht sofort auffallen. Leichte Überempfindlichkeiten bestehen oft jahrelang, ohne dass sie erkannt werden. Andere führen zu entzündlichen Prozessen in der Darmschleimhaut, beispielsweise bei einer Überempfindlichkeit gegen Gluten im Getreide, und können schwere Erkrankungen nach sich ziehen.

Infektionskrankheiten im Darm wie Cholera, Typhus oder Ruhr können sogar innerhalb von Stunden durch einen massiven Wasserverlust zum Tode führen. Durch eine gestörte Immunfunktion ausgelöste Entzündungen der Darmschleimhaut führen zu chronischen Entzündungen des Darms wie bei der Colitis ulcerosa, einer Entzündung der Dickdarmschleimhaut, in deren Folge auch Haut, Gelenke, Augen, Leber, Bauchspeicheldrüse und andere Organe betroffen sein können.

Die richtige Darmpflege

Kommen wir auf den Vergleich Ihrer Darmschleimhaut mit dem Rasen eines Fußballfeldes zurück. Was passiert, wenn die kleinen „Grashalme“ nicht mehr voll funktionstüchtig sind, haben Sie jetzt erfahren. Umgeknickte und vertrocknete Halme können auch keine Nährstoffe mehr aufnehmen. Wenn aber ein vertrocknender Rasen keine Pflege bekommt, wachsen keine neuen Gräser nach, es entstehen immer größere braune Stellen: Ein Teufelskreis beginnt. Ähnlich verhält es sich mit der Darmschleimhaut. Ist sie durch schlechtes Essen, Stress, Antibiotika oder Krankheiten angegriffen, verlangsamt sich der Stoffwechsel, und auch sie kann sich nur schwer erholen. Ihre Darmschleimhaut benötigt genügend Zeit und die richtige Behandlung, um sich zu regenerieren. Denn erst wenn Ihr Rasen wieder in einem satten Grün erstrahlt, können auch die Blumen am Seitenstreifen wieder blühen: Ihre Haut wird schöner, Sie strahlen Vitalität aus, Ihr Stoffwechsel ist im Lot und Ihr Immunsystem wieder gut gerüstet.

Die Frage lautet also: Wie bringe ich meinen Darm wieder zu seiner vollen Funktionsfähigkeit, und wie erhalte ich diesen Gesundheitszustand? Hier betreten wir das Gebiet der Ernährungswissenschaft. Auf kaum einem anderen Wissensgebiet tummeln sich so viele Meinungen und Ideologien, die uns jede für sich als absolute Wahrheiten dargestellt werden. Da werden Teilaspekte betrachtet, ohne den Gesamtzusammenhang zu beleuchten, und daraufhin gibt es Ernährungsempfehlungen, die oft völlig unsinnig, wenn nicht sogar schädlich sind.

Nährstoffe für einen starken Darm

Ja, Sie haben richtig gelesen, es gibt Nährstoffe, die speziell geeignet sind, unseren Darm zu stärken. Von den Ballaststoffen, die reichlich in Vollkornprodukten, Obst und Gemüse enthalten sind, von Leinsamen und Weizenkleie haben wir alle schon gehört. Wir wissen auch, dass diese Ballaststoffe den Darminhalt weicher machen und so die Darmpassage des Nahrungsbreis erleichtern und beschleunigen. So sind die Kontaktzeiten mit Krebs erregenden Stoffen im Darm kürzer, und ein Risikofaktor für Darmkrebs wird verringert.

Präbiotik und Probiotik – die guten Siedler

Nicht nur die oben genannten Ballaststoffe (Präbiotik), sondern auch spezielle

▲ Probiotische Joghurts sind wertvoll.

Bakterien (Probiotik) begünstigen die „guten Siedler“ im Darm. Sie optimieren die Verdauung und verkürzen so die Verweilzeit des Speisebreis. Die Verdauung kommt in Gang.

Tun Sie Ihrem Darm etwas Gutes und greifen Sie zu probiotischen Joghurts. Sollten Sie anfangs leichte Blähungen bekommen, nehmen Sie einfach nur einen halben Joghurt und mischen ihn mit einer herkömmlichen Sorte. Ihr Darm wird sich innerhalb kurzer Zeit an die erhöhten Nährstoffgaben gewöhnen.

Im Darm leben Billionen von Darmbakterien; die Zusammensetzung dieser Darmflora entscheidet darüber, ob der Darm – und damit der Mensch – gesund oder krank ist. Durch eine gezielte Ernährung können wir die Darmflora stärken und krankmachende Keime unschädlich machen. Besonders wertvoll für die Funktionstüchtigkeit des Darms sind die körpereigenen Lakto- und Bifidobakterien. Überwiegen diese Darmbakterien, breiten sich die „falschen“ Darmbakterien, die zu schlecht ernährten Schleimhäuten und hartem Stuhl führen, gar nicht erst aus.

Die Lakto- und Bifidobakterien senken Entzündungswerte und sorgen für die Regeneration der Darmschleimhaut. Sie halten deren Zellen immer vital und funktionsfähig und fördern die Schleimbildung im Darm. Und das hat vielfältige Vorteile: Zum einen dient dieser Schleim im Darm als Puffer, es gelangen weniger Schadstoffe vom Nahrungsbrei an die Darmzellen, er stellt somit einen körpereigenen Allergieschutz dar. Außerdem ernähren sich die Darmzellen über den Schleim, und schließlich regelt der Schleim die Transportkapazität des Darms. Inzwischen konnte auch noch nachgewiesen werden, dass durch eine aktive, gesunde Darmflora die Aufnahme von Kalzium und Magnesium deutlich besser funktioniert.

Verjüngen Sie Ihre Darmflora

Der Verzehr probiotischer Lebensmittel ist eine gute Möglichkeit, die gesunde Darmflora zu fördern. Man versteht darunter Lebensmittel, die mit lebenden Lakto- oder Bifidobakterien angereichert sind. Eine Spezialzüchtung verleiht diesen Bakterien eine magensaftresistente Hülle, die verhindert, dass die Magensäure sie abtötet, wenn sie den Magen passieren. So kommen diese Lakto- oder Bifidobakterien unbeschädigt im Darm an und wirken dort vitalisierend. Das hat den Effekt einer Verjüngung der Darmbesiedelung und damit einer Steigerung der Verdauungsleistung.

Es ist also durchaus sinnvoll, probiotische Joghurts einzusetzen. Zwar enthält ein normaler Joghurt auch Lakto- und Bifidobakterien, diese überleben jedoch die Magenpassage nicht.

Ist Ihre Darmflora stark angegriffen? Dann reicht ein probiotischer Joghurt am Tag natürlich nicht aus. Die Wirkung eines solchen Joghurts hätte einen ähnlichen Effekt wie die monatliche Düngergabe für Ihre Balkonpflanzen. Machen Sie es gleich richtig: Bauen Sie Ihre Darmflora grundlegend neu auf. Fragen Sie Ihren Apotheker nach einer probiotischen Nahrungsergänzung. Wirksame Präparate bieten pro Tagesdosis 10 Milliarden probiotische Lakto- oder Bifidobakterien. Dies entspricht der Menge an Keimen, die in 50 probiotischen Joghurts enthalten ist. In der Regel reicht eine vierwöchige Kur aus, um die Darmflora zu erneuern. Nach dieser Kur, natürlich in Verbindung mit darmgesunder Ernährung, reichen dann die probiotischen Joghurts aus, um den Darm gesund zu erhalten.

▲ Stress greift den Darm an.

Mein-Tipp

Nehmen Sie einen probiotischen Joghurt mit zur Arbeit. Sie sind viel unterwegs oder im Außendienst? Sorgen Sie dafür, dass Sie immer einen Löffel im Auto haben, denn diese Joghurts gibt es fast überall zu kaufen.

Gesundheit kommt von innen

Neuere Untersuchungen belegen, dass nach dem Verzehr probiotischer Lebensmittel mehr Immunzellen im Körper vorhanden sind. Das deutet darauf hin, dass diese Lebensmittel dazu beitragen, das Immunsystem zu stabilisieren. Und

Gut zu wissen

Stress ist Gift für die Darmflora

Die Zahl der gesunden Laktobakterien in Ihrem Darm wird durch Stress verringert. In Stresssituationen ist es deshalb äußerst wichtig, die Darmflora zu unterstützen. Das können Sie tun, indem Sie probiotische Joghurts zu sich nehmen und Ihre Mahlzeiten entsprechend sorgfältig auswählen. Wir wissen, dass es oft eine Herausforderung darstellt, unterwegs eine darmgesunde Mahlzeit aufzutreiben. Deshalb unser Tipp: Probieren Sie den preiswerten Mittagstisch bei einem guten Chinesen oder Thai – hier erhalten sie Nudel- und Reisgerichte mit gedünstetem Gemüse in einer großen Auswahl.

ein starkes Immunsystem senkt natürlich das Krebsrisiko, verhindert den Ausbruch von Herpes und Pilzerkrankungen (z. B. durch Fuß- oder Scheidenpilze) und natürlich von Erkältungskrankheiten. Es lohnt sich also, dem Darm mehr Aufmerksamkeit zu widmen.

Positive Auswirkungen eines gut besiedelten Darms

- Gute Verdauung
- Bessere Aufnahme von Nährstoffen, insbesondere Magnesium und Kalzium
- Besserer Schutz vor Krebs
- Höhere Stressresistenz
- Stabilisierung des Immunsystems
- Abbau von Entzündungen
- Schutz vor Allergien

Für ein effektives Body-Coaching ist die richtige Darmpflege also unerlässlich.

Aufbau des Immunsystems nach Antibiotika-Kuren

Durch die Einnahme von Antibiotika sollen krankmachende Keime abgetötet werden. Leider kann das Antibiotikum nicht so klar unterscheiden, welche Keime gut für den Organismus sind und welche Krankheiten auslösen. Die für den Darm so wichtigen Bifido- und Laktobakterien werden bei einer Antibiotika-Kur mit abgetötet. Die Darmflora ist nach einer solchen Behandlung in der Regel stark angegriffen und muss wieder neu aufgebaut werden.

Was würden Sie tun, wenn Ihre Lieblingspflanze die Blätter hängen ließe? Genau, Sie würden sie erst einmal liebevoll düngen, und genau das machen Sie nun auch mit Ihrer Darmflora.

Füttern Sie Ihre guten Darmsiedler täglich

Neben den oben genannten probiotischen gibt es auch noch so genannte präbiotische Lebensmittel. Diese gehören zu den Lieblingsspeisen unserer guten Darmsiedler, denn sie enthalten spezielle lösliche Ballaststoffe (u. a. Inulin und Oligofruktose aus der Zichorienwurzel), die den Bifido- und Laktobakterien als Nährstoffquelle dienen und sie so gezielt stärken. Zudem entstehen beim Abbau der präbiotischen Inhaltsstoffe Säuren, die das Wachstum von krankheitsauslösenden Keimen – beispielsweise Clostridien, Kolibakterien, Lysterien und Salmonellen – hemmen. Außerdem ernähren diese Säuren die Darmschleimhaut.

Der präbiotische Faktor kommt in allen Gemüsesorten vor und wird mittlerweile auch vielen Lebensmitteln zugesetzt (auf der Packung dann als „präbiotischer Faktor" oder international als „prebiotic factor" deklariert). So werden häufig probiotische Joghurts gleichzeitig mit präbiotischer Oligofruktose oder präbiotischem Inulin angereichert. Beides zusammen bietet die Extraportion Gesundheit für den Darm. In der unten stehenden Grafik sind die Nahrungsmittel mit dem höchsten natürlichen präbiotischen Faktor aufgeführt.

Eine weitere Lieblingsspeise unserer Darmsiedler ist die Milchsäure. Sie entsteht z. B. bei der Einlagerung von Sauerkraut. Da die gesundheitsfördernde Wirkung inzwischen bekannt ist, werden auch andere Gemüsesorten

▼ Lebensmittel mit hohen präbiotischen Anteilen – Tagesempfehlung: 10–15 g

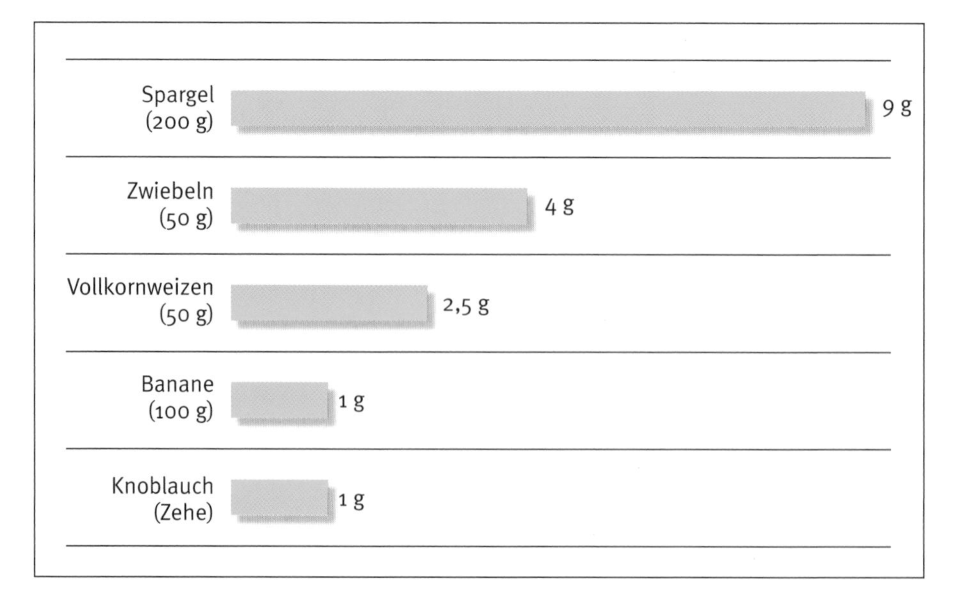

▲ Über Gemüse können Sie auf natürliche Weise präbiotische Inhaltsstoffe aufnehmen.

eingelegt. Reformhäuser und Bioläden bieten diese Produkte an. Man kann das Gemüse aber auch selbst einlegen, die so genannten Gärtöpfe sind wieder im Handel erhältlich. Die Milchsäurebakterien konservieren das Gemüse, es schmeckt dann leicht säuerlich, ähnlich wie Essiggürkchen.

Bioläden, Reformhäuser und gut sortierte Lebensmittelgeschäfte führen auch ein anderes Produkt, welches ebenfalls Milchsäure enthält: den Kanne Brottrunk. Das Getränk ist geschmacklich vielleicht etwas gewöhnungsbedürftig, bietet jedoch die Möglichkeit, auf einfache Weise jederzeit Milchsäurebakterien zu sich zu nehmen. Milchsäure ist außerdem in Molkeprodukten enthalten.

Sie kräftigen Ihre Darmflora, wenn Sie eines der unten genannten Lebensmittel täglich in Ihren Speiseplan mit aufnehmen.

Für einen gesunden Darm greifen Sie regelmäßig zu

- Milchprodukten mit probiotischen Bifido- und Laktobazillen,
- Inulin- bzw. oligofruktosehaltigen Lebensmitteln (Gemüse oder Nahrungsmittel mit entsprechenden Zusätzen),
- Sauerkraut, Molke, Kanne Brottrunk.

Perfektes Body-Coaching – Fitness nach Maß

Dass Bewegung dem Körper gut tut, wissen wir seit langem. Dass sie tatsächlich dem ganzen Körper hilft, ist eine Erkenntnis der jüngsten Zeit. Und dass sie heutzutage die wichtigste Maßnahme zur Gesunderhaltung des menschlichen Organismus ist, wird uns nach und nach bewusst.

Die vielfältigen Einflüsse der Bewegung auf die Gesundheit lassen sich am Beispiel des Darms sehr gut nachvollziehen. Bewegung auf zwei Beinen, auch auf zwei Rädern, führt zu Kontraktionen der Hüft- und Beinmuskulatur. Insbesondere der Hüftbeuger hat einiges zu leisten, da er das jeweilige Schwungbein nach vorn anhebt. Jeder Schritt führt daher zu einer kräftigen Massage des Darms, die die Darmbewegungen (Peristaltik) unterstützt und so den Speisebrei in Richtung Darmausgang befördert.

Wichtig

Darmkrebs ist eine der häufigsten Krebserkrankungen überhaupt und die häufigste bei Menschen jenseits des 60. Lebensjahrs. Seine Entstehung hängt u. a. mit der Geschwindigkeit der Darmpassage zusammen. Es ist nachgewiesen, dass Verstopfung Darmkrebs fördert, Laufen kann seiner Entwicklung entgegenwirken.

▼ Joggen ist gut für die Verdauung.

Zu viel des Guten?

Während die mechanischen Einflüsse der Bewegung relativ einfach zu verstehen sind, ist es mit den immunologischen etwas schwieriger. Es ist eine grundlegende Erkenntnis, dass Bewegung die Durchblutung fördert. Die Darmdurchblutung wird während der Belastung allerdings nur dann gefördert, wenn ein sehr ruhiges Tempo gewählt wird. Je schneller der Mensch unterwegs ist, desto mehr verlagert der Organismus die Durchblutung dahin, wo sie am dringendsten gebraucht wird – in die arbeitende Muskulatur, vor allem die der Beine. Die Darmdurchblutung wird bei sehr anstrengenden Läufen also vorübergehend vermindert. Ist der Darm dann in einem schlechten Zustand, kann es möglicherweise sogar zu Schäden an den Zellen der Darmwand kommen. Einen gesunden Darm (siehe Kapitel Darm-Tuning) kann das aber nicht schädigen.

▲ Trainieren Sie gezielt in ruhigem Tempo.

Walken fürs Immunsystem

Ähnlich verhält es sich mit der Wirkung der Bewegung auf das Immunsystem. Ruhige, entspannte Ausdauerbelastungen stärken das Immunsystem und stellen nach unserem heutigen Wissensstand die vermutlich effizienteste Maßnahme dar, sich vor Infektionen zu schützen. Sehr anstrengende Belastungen hingegen schwächen zeitweise das Immunsystem, und das umso mehr, je intensiver die Belastung ist.

So wissen wir, dass Marathonläufe bei sehr vielen Teilnehmern zu einer vorübergehenden Verminderung der so genannten Immunkompetenz führen.

Trainieren Sie Ihren Körper

Übungen für die Bauchmuskulatur

Winkeln Sie in Rückenlage die Beine an und drücken Sie die Fersen fest gegen den Boden. Rollen Sie jetzt den Oberkörper langsam ein, bis sich die Schulterblätter vom Boden lösen. Den Bauch einen Moment lang angespannt halten und dann langsam zurückrollen. Den Schwierigkeitsgrad bestimmen Sie mit den Armen. Die Übung lässt sich leichter ausführen, wenn Sie die Arme nach vorn ausstrecken, und wird schwieriger, wenn Sie die Arme über den Kopf heben (15- bis 25-mal).

Zusätzlich erreichen Sie die schräg verlaufende Bauchmuskulatur, wenn Sie beim Einrollen des Oberkörpers die rechte Schulter in Richtung des linken Knies bewegen und umgekehrt (je 10- bis 25-mal).

Übung für die Rückenmuskulatur

In Bauchlage heben Sie die Beine und die Arme (in Seithalte) vom Boden ab, ca. 5 Sekunden in der Endstellung verharren, dann langsam wieder ablegen. Der Kopf bleibt mit der Stirn am Boden (10- bis 25-mal).

Die Osteopathie ist eine bewährte, sehr erfolgreiche Behandlungsmethode, die sich um praktische Hilfe bei vielen schwereren und leichteren gesundheitlichen Störungen bemüht. Der Körper wird in der Osteopathie als Einheit, als ganzheitliches Funktionssystem, aufgefasst. Er verfügt über Selbstheilungskräfte und -mechanismen, die wir zum Vorteil des Gesamtsystems aktivieren können. Bestimmte Strukturen stehen miteinander in engem Zusammenhang, was sich therapeutisch nutzen lässt. Auch die osteopathische Medizin weiß um die Bedeutung des Darms.

Übungen zur Aktivierung und Stabilisierung des Darms

Übung 1: Setzen Sie sich auf einen Stuhl, ohne sich anzulehnen. Heben Sie ein Bein an, setzen Sie den Fuß auf die Sitzfläche und halten Sie mit beiden Händen den Unterschenkel fest. Versuchen Sie jetzt, Ihr Knie gegen den Widerstand Ihrer Hände zu strecken (je 10-mal pro Seite)

Übung 2: In Rückenlage winkeln Sie die Kniegelenke an und stellen beide Füße auf den Boden. Drücken Sie mit den Fingerspitzen rechts und links der Blase in den Unterbauch. Während des tiefen Einatmens schieben Sie Ihre Fingerspitzen in Richtung Oberschenkel, beim Ausatmen streichen Sie die Haut des Unterbauchs mit den Fingerspitzen nach oben außen (10-mal, dabei tief ein- und ausatmen).

Übung 3: Massieren Sie in Rückenlage mit kleinen rotierenden Bewegungen die Reflexpunkte des Dünndarms. Sie finden Sie, wenn Sie von der Achselfalte auf beiden Seiten des Brustkorbs nach unten bis zum letzten und vorletzten Zwischenrippenraum wandern.

▲ Nordic Walking trainiert den Darm.

Während sehr großer Anstrengungen vermindert sich die Zahl und Aktivität unserer Immunzellen. Diese Schwächung des Abwehrsystems führt zu einer erhöhten Infektionsgefahr. Wie lange dieser Zustand andauert und wie ausgeprägt er ist, variiert von Teilnehmer zu Teilnehmer und hängt maßgeblich davon ab, wie anstrengend der Lauf war.

Gehen und Treppensteigen, Nordic Walking und ruhiges Laufen sind also Sportarten, die sich hervorragend für ein wirkungsvolles Darmtraining eignen. Zusätzlich sind unterstützende Übungen wie beispielsweise Kräftigungsübungen für die Bauchmuskulatur und die Rückenstreckmuskeln im Bereich der Lendenwirbelsäule sinnvoll (siehe Seite 36).

Unser Immunsystem

Auf dem Weg des Menschen, sein Leben zu verlängern und zu verbessern, hat die Überwindung der großen Seuchen fraglos eine zentrale Rolle gespielt. Früher rafften Pest und Cholera, Pocken und Tuberkulose Tausende und Abertausende von Menschen dahin, während heute in den Industrieländern eine schon fast beunruhigende Gelassenheit diesen gefährlichen Krankheiten gegenüber herrscht.

Für diese Haltung gibt es zweierlei Ursachen: Zum einen die großartigen Erfolge der modernen Medizin, die mithilfe der Antibiotika eine neue Ära der Menschheitsgeschichte eingeleitet hat, zum anderen aber auch die Tatsache, dass wir mit unserem Immunsystem über ein hoch effizientes Abwehrsystem verfügen, welches in Verbindung mit modernen Hygienemaßnahmen das unbeschreibliche von Infektionskrankheiten ausgelöste Leid der Menschen in Vergessenheit geraten ließ.

Zweifellos können wir unseren Abwehrkräften prinzipiell vertrauen. Eine immense Vielzahl von Zellen bewacht unseren Organismus, schützt ihn vor Eindringlingen und kontrolliert darüber hinaus alle Zellen, die im Körper neu entstehen. Und das sind immerhin ca. eine Milliarde pro Minute. Finden sich Auffälligkeiten, Abweichungen von der Norm, werden diese Zellen eliminiert.

Doch selbst dieses ausgeklügelte System hat seine Schwächen. Eine zunehmende Zahl schwerwiegender Krankheiten sind in den letzten Jahren als so genannte Autoimmunerkrankungen identifiziert worden, Erkrankungen also, bei denen sich Immunzellen gegen den eigenen Körper richten. Dazu zählen multiple Sklerose, rheumatoide Arthritis (Gelenkrheuma), Diabetes mellitus Typ 1 und Morbus Crohn (Entzündung im Dünndarm). Ungefähr 5 % der Weltbevölkerung leiden an einer oder mehreren Autoimmunerkrankungen.

Der Darm – der beste Immunabwehrspieler

Ist es nicht auch Ihr Wunsch, immer fit und gesund zu sein? Sich nicht schlapp zu fühlen, wenn im Herbst die ersten Erkältungswellen über uns zusammenschlagen? Wie oft haben Sie sich schon gefragt, warum die Person X sich bester

Die Immunabwehr

Das Immunsystem ist unser Abwehrsystem. Es besteht aus zellgebundenen und im Blut zirkulierenden Systemen, die jeweils auf spezifische und unspezifische Mechanismen zurückgreifen. Demnach gibt es eine spezifische und eine unspezifische Immunabwehr.

Die unspezifische Abwehr funktioniert von Geburt an und richtet sich in erster Linie gegen Krankheitserreger, die von außen in den Organismus eindringen, z. B. gegen Grippeviren oder Tuberkulosebakterien. Aber auch die Tumorabwehr zählt zu ihren Aufgaben. Unterstützt werden die hierfür besonders wichtigen natürlichen Killerzellen durch verschiedene Systeme, die das Erkennen, Isolieren und Abtöten der Mikroorganismen und Zellen erleichtern. Chemische Botenstoffe werden erkannt und locken Abwehrzellen an. Ein kompliziertes System von Enzymen ermöglicht die Zerstörung unerwünschter Zellen. Fremdstoffe werden durch geeignete Abwehrzellen „geschluckt".

Die spezifische Abwehr wird im Gewebe beispielsweise bei der Transplantat-Abstoßung oder bei der Tumorbekämpfung aktiv. Es handelt sich um Antikörper im Blut, die von speziellen Gedächtniszellen (Lymphozyten) produziert werden und u. a. für die lebenslange Immunität des Erwachsenen gegen Kinderkrankheiten sorgen.

Die Immunzellen entstammen den Stammzellen des Knochenmarks, werden aber zusätzlich auf unterschiedliche Weise für ihre endgültige Abwehrfunktion differenziert. Die so genannten T-Zellen reifen im Thymus heran (einer Drüse hinter dem Brustbein) und wandern danach in die Lymphknoten, wo sie Teil der spezifischen Abwehr werden. Die so genannten B-Zellen benötigen für ihre Entwicklung ein Organ in der Darmwand, das Bursaäquivalent. Werden die speziellen Immunzellen durch fremde Zellen aktiviert, so produzieren sie Antikörper, die passgenau auf die Zielzellen (z. B. Bakterien, Krebszellen) ausgerichtet sind. Angeborene oder erworbene Krankheiten können die Immunzellen beeinträchtigen. Man bezeichnet derartige Situationen als Immunmangelzustände.

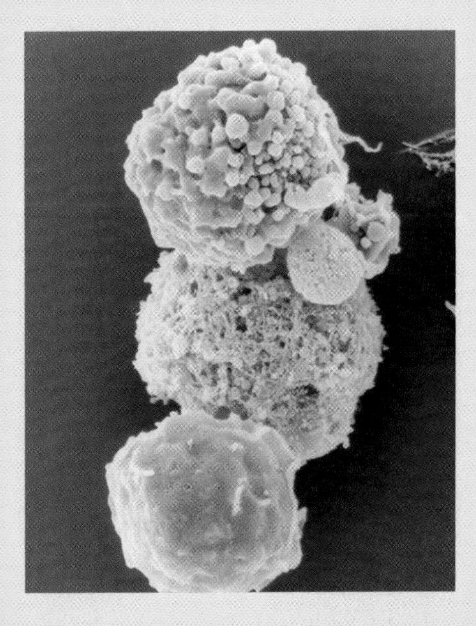

▲ REM-Aufnahme von B- und T-Lymphozyten.

Gesundheit erfreut, während Sie sich mit Hals- und Gliederschmerzen herumplagen? Dann sollten Sie wissen, dass 70 % unseres Immunsystems im Darm beheimatet sind. Da können wir ansetzen, um unsere Körperabwehr zu stärken. Aber schauen wir zunächst, welche Schutzfunktion der Darm hat.

Die Schutzfunktion

Eigentlich ist es nicht verwunderlich, dass der Darm für unser Immunsystem eine so wichtige Rolle spielt. Ist er doch der Ort, der mit den meisten Fremdlingen zu tun hat. Speisen, ganz gleich ob tierischen oder pflanzlichen Ursprungs, bestehen ja zu einem großen Teil aus Eiweiß. Dieses als fremd zu erkennen und richtig zu behandeln bzw. zu verdauen, ist eine der Hauptaufgaben des Darms und unseres Immunsystems. Geht dabei etwas schief, kann das unangenehme bis fatale Folgen haben. Allergische Erkrankungen beruhen auf der Bildung einer unkontrolliert hohen Zahl bestimmter Antikörper (so genannter IgE- und IgG-Immunglobuline). Normalerweise wird ihre Produktion durch bestimmte Immunzellen (so genannte T-Helferzellen und T-Suppressorzellen) gedrosselt. Funktioniert dieser Rückkopplungsmechanismus nicht, entstehen die speziellen Antikörper in sehr hoher Zahl und werden beim Zweitkontakt mit dem auslösenden Fremdeiweiß (dem Antigen) massiv freigesetzt. Das gilt für Substanzen, die wir einatmen (Hausstaub, Pollen), einige Nahrungsmittel (Nüsse, Früchte, Fisch), für Medikamente (Penicillin), Insektengifte (Bienen und Wespen) und auch für Infektionen (Würmer). Es werden Substanzen frei, die Juckreiz, Niesen, Asthma, gegebenenfalls aber auch heftige, ja lebensbedrohliche Kreislaufreaktionen verursachen können. Man spricht dann vom anaphylaktischen Schock.

Gut zu wissen

Allergien sind erblich

Die häufigsten Immunkrankheiten sind allergische Erkrankungen. Etwa 10–12 % der europäischen Bevölkerung haben die entsprechende genetische Veranlagung.

◀ Pollenallergien sind weit verbreitet.

Autoimmunerkrankungen

Ebenfalls sehr häufig sind die so genannten Autoimmunerkrankungen. Hier richtet sich die Immunantwort des Körpers gegen körpereigene Strukturen. Die Unterscheidung zwischen „fremd" und „nicht fremd" gelingt nicht mehr. Es treten sehr unterschiedliche Mechanismen auf, die auf die Fehlsteuerung von Teilen des Immunsystems zurückzuführen sind. Es kommt zu einer Überproduktion von Antikörpern gegen Zellen des eigenen Körpers.

Typische Krankheiten sind u. a. Diabetes mellitus Typ 1 (jugendlicher Diabetes), chronische Dickdarmentzündung, Entzündung im Dünndarm (Morbus Crohn). Noch sind viele der zugrunde liegenden Mechanismen nicht vollständig geklärt, aber das Fehlen anderer, nachweisbarer Ursachen lenkt den Verdacht bei einer großen Zahl bekannter chronischer Krankheiten auf das Immunsystem.

Die Aktivierung von Antikörpern

Eine der gängigsten Formen, das Immunsystem zu aktivieren, ist die Impfung. Durch abgeschwächte oder abgetötete Erreger wird das Immunsystem zur Bildung von spezifischen Abwehrmechanismen, insbesondere zur Bildung von Antikörpern, angeregt. Wenn es dann zu einem späteren Zeitpunkt zu einer echten Infektion kommt, läuft in kürzester Zeit die Produktion der Antikörper auf Hochtouren und erstickt die Infektion im Keim. Den gleichen Effekt haben Auffrischimpfungen. Sie sorgen dafür, dass die einmal erworbene Immunkompetenz des Organismus nicht über die Jahre und Jahrzehnte hinweg in „Vergessenheit" gerät.

Ein interessantes Beispiel für diese Reaktion des Körpers ist die Gürtelrose, der Herpes zoster. Zunächst erfolgt eine Infektion mit dem Varizellen-Virus, der Mensch bekommt die Windpocken. Nach deren Abheilung verbleibt eine Immunität, die aber nicht in allen Fällen lebenslang anhält. Eine spätere, allgemeine Schwächung des Körpers kann eine Teilimmunität hervorrufen. Es kommt nicht mehr zum Vollbild der

Windpocken, aber die in bestimmten Nervenzellen neben der Wirbelsäule ruhenden Herpesviren werden reaktiviert und lösen Krankheitssymptome wie Rötung, Bläschenbildung und Schmerzen im betroffenen Rückenmarkssegment aus, und zwar gürtelförmig, daher der Name Gürtelrose.

So tunen Sie Ihr Immunsystem

Gönnen Sie Ihrem Darm das Beste, er wird es Ihnen mit körperlicher Gesundheit und Energie danken. Insbesondere in Zeiten hoher beruflicher oder privater Belastung ist es sinnvoll, das Immunsystem gezielt zu unterstützen. Dafür gibt es verschiedene Möglichkeiten.

Nahrung fürs Immunsystem – Glutamin

Wenn das Immunsystem schwächelt, lohnt sich wie schon gesagt ein Blick auf unsere Darmgesundheit, genauer gesagt auf die Vitalität unserer Darmflora. Die Darmzellen der Darmflora ernähren sich einerseits vom Schleim der gesunden Darmbakterien, andererseits von umgewandelten präbiotischen Ballaststoffen und Glutamin. Glutamin ist eine Aminosäure, die vom Körper selbst gebildet wird. In Stressphasen produziert der Körper jedoch sehr wenig davon, ab und zu sogar gar keins mehr, dann kommt es zu einer Glutaminverarmung. Die Folge ist eine hohe Infektanfälligkeit. Zur Stabilisierung des darmassoziierten Immunsystems ist deshalb eine glutaminreiche Ernährung besonders wichtig: Essen Sie Käse, möglichst fettarm oder mit mittlerem Fettgehalt, und trinken Sie Buttermilch. Reich an Glutamin sind außerdem Weizenkeime, und in Zeiten hoher Belastung ist Molkeneiweiß als Nahrungsergänzung (in der Apotheke erhältlich) zu empfehlen.

Vitamine, Spurenelemente und Omega-3-Fettsäuren

Es gibt wichtige Helfer, die das Immunsystem nachhaltig stärken. Achten Sie darauf, dass Ihr Speiseplan viel natürliches Vitamin C enthält. Hohe Dosen enthalten Zitrusfrüchte, Kiwis und frische Paprikaschoten. In seiner natürlichen Umgebung, etwa in einer Orange, hat das Vitamin C eine große Anzahl an Begleitstoffen (z. B. sekundäre Pflanzenstoffe), die wesentlichen Anteil an der Wirkung im Körper haben. Synthetische Vitamin-C-Präparate sollten immer nur eine Nahrungsergänzung darstellen.

Das Gleiche gilt für Vitamin E. Der Wert des Vitamin E für den Organismus steigt, wenn das Vitamin in seinen natürlichen Trägern die Synergieeffekte anderer Inhaltsstoffe ausspielen kann. So enthalten Walnüsse sowohl Vitamin E als auch Omega-3-Fettsäuren, und beide Stoffe unterstützen die Darmgesundheit.

Besonders während der nasskalten Jahreszeit freut sich Ihr Immunsystem über jeden zusätzlichen Zinkspender. Um Ihren Zinkbedarf zu decken, essen Sie zweimal pro Woche Meeresfisch sowie mehrmals pro Woche 1 EL Weizenkeime, die Sie beispielsweise in Joghurt einrühren.

Wenn sich die ersten Symptome einer Erkältung einstellen – wenn der Hals anfängt zu kratzen, die Nasenflügel jucken oder Kopfschmerzen einsetzen –, hat Zink einen äußerst stabilisierenden Effekt auf Ihr Immunsystem. Deshalb sollten Sie zu Hause immer ein Zinkpräparat vorrätig haben und dieses bei den ersten Erkältungsanzeichen in einer Dosierung von 10 mg einnehmen. Bei Bedarf kann die Einnahme nach 3 Stunden wiederholt werden.

In puncto Selen gibt es bei uns leider nur wenige Lebensmittel, die einen ausreichenden Beitrag zu unserer Versorgung liefern können: Unsere Böden sind selenarm. Deshalb ist es wichtig, die wenig verbliebenen Selenspender gezielt einzusetzen. Eine überragende Rolle spielen hierbei Kokosflocken: Schon in 10 g steckt der gesamte Tagesbedarf an Selen.

Mein-Tipp

Mischen Sie regelmäßig 1 EL Kokosflocken ins Müsli oder den Joghurt und gönnen Sie sich und Ihrem Immunsystem z. B. Kokosmakronen. Wenn Sie es lieber herzhaft mögen, können Sie auch durch 40 g Steinpilze Ihren täglichen Selenbedarf decken.

Omega-3-Fettsäuren senken nicht nur erhöhte Entzündungswerte im Darm, sondern bieten auch einen Schutz vor Herz-Kreislauf-Krankheiten. Sie schützen außerdem Ihre Zellen vor Angriffen so genannter freier Radikaler, der Hauptverursacher von Alterung und Krankheit. Omega-3-Fettsäuren sind in Rapsöl, Sojaöl, Walnussöl und Speiseleinöl enthalten. Auch eine Ernährungsergänzung durch Walnüsse (z. B. ca. 30 g im Müsli) ist sinnvoll. Wenn schon eine Zwischenmahlzeit, dann eine hochwertige: Walnüsse eignen sich besonders gut als kleiner Snack im Büro.

Mein-Tipp

Rapsöl können Sie zum Anbraten und Kochen benutzen. Speiseleinöl ist nicht hitzestabil und sollte deshalb nicht erwärmt werden. Mischen Sie es teelöffelweise unter die Salatsauce oder bereiten Sie einen leckeren Kräuterquark mit Leinöl.

„Ölwechsel“ für den Darm

Während der Darm sich über die ungesättigten Omega-3-Fettsäuren freut, bekommt er bei großen Mengen gesättigter Fette Verdauungsprobleme. Diese können sich im Laufe der Zeit bis zur Bildung von Krebsgeschwüren ausweiten. Besonders der Dickdarm wird krebsanfällig, wenn Sie viele gesättigte Fettsäuren zu sich nehmen.

Der Zusammenhang „höhere Krebswahrscheinlichkeit durch viel gesättigte Fettsäuren“ gilt auch für Brust- und Prostatakrebs. So haben vergleichende Untersuchungen gezeigt, dass eine fettarme Ernährung zur höchsten Überlebensrate bei Brust- und Prostatakrebs führt. Machen Sie also einen „Ölwechsel“: Tauschen Sie schlechte, gesättigte Fette gegen gesunde, ungesättigte Fette.

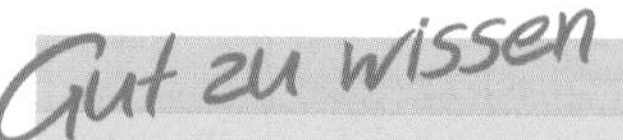

Wenn die Belastungen zu groß werden

Es gibt immer wieder Phasen, sei es im Beruf, im Privatleben oder auch im Sport, in denen wir uns besonders belastet fühlen. Hierzu zählen nicht nur die körperlichen Anstrengungen, sondern natürlich auch die psychischen Belastungen.
In solchen extremen Phasen sind Nahrungsergänzungen mit Vitamin C, Vitamin E, Zink und Selen zu empfehlen, weil alle diese Stoffe unser Immunsystem unterstützen, das durch die Belastungen geschwächt wird.
Damit Sie einen Anhaltspunkt haben, wie viel Nahrungsergänzung gut ist, finden Sie hier ein paar Dosierungsvorschläge:

Vitamin C	1 g täglich, in drei Portionen aufgeteilt
Vitamin E	100–200 mg täglich
Zink	10 mg täglich
Selen	50–200 µg (Mikrogramm)* pro Tag
Omega-3-Fettsäuren	1 g pro Tag

*(1 mg = 1000 µg)

▲ Nahrungsergänzungen sind in Zeiten körperlicher Belastungen sehr sinnvoll.

Das können Sie tun, um ein Überangebot an gesättigten Fetten zu vermeiden:

- Bevorzugen Sie fettarme Fleisch- und Wurstsorten (Pute, Hähnchen).
- Essen Sie fettarme Saucen oder nehmen Sie einfach etwas weniger.
- Entfernen Sie Fettränder und stark fetthaltige Stücke beim Fleisch.
- Frittiertes sollte eine Ausnahme sein.
- Knabbereien wie Chips, Erdnussflips und Co können Sie durch Salzstangen und portionsweise geschnittenes rohes Gemüse ersetzen.

Wenn Sie dann doch einmal unbändige Lust auf ein saftiges Eisbein oder Ähnliches haben, achten Sie einfach darauf, dass Ihre Beilagen keine weiteren Fette enthalten. So ist ein paniertes Schnitzel mit einer Portion Gemüse und Pellkartoffeln einem Schnitzel mit Pommes frites ernährungsphysiologisch überlegen. Das original Wiener Schnitzel wird übrigens nicht in (schlechtem) Frittierfett ertränkt, sondern in einer Pfanne mit etwas gutem Öl ausgebacken.

Sie lieben aber Lebensmittel mit hohem Anteil gesättigter Fettsäuren wie z. B. Salami, Mettwurst und Leberwurst? Dann betrachten Sie diese Lebensmittel als Genussmittel: Gönnen Sie sich die Leckereien sparsam. Hauchdünn geschnitten kommt das Aroma der Salami ohnehin wesentlich besser zur Geltung, und auch Leberwurst lässt sich dünn auftragen. Essen Sie bewusst nur kleinere Mengen Grill- oder Mettwürstchen, also lieber nur eine Wurst und dafür mehr Salat oder Gemüse.

Die Regeneration des Darms

Im Darm laufen Millionen aufeinander abgestimmter Stoffwechselvorgänge ab. Hier werden Verdauungsenzyme gesteuert, während gleichzeitig Nährstoffe vom Darm ins Blut und von da aus zu den Organen geschleust werden. Zeitgleich finden Rückkopplungen zum Gehirn mit Neuronenbildungen, Zellteilungen, Zellerneuerungen und -abstoßungen statt.

Diese vielfältigen Leistungen können nur von gesunden, vitalen Zellen fehlerfrei und zuverlässig ausgeführt werden. Deshalb haben die Darmschleimhautzellen auch nur eine kurze Lebensdauer. Was viele nicht wissen: Innerhalb weniger Tage wird die Darmschleimhaut vollständig erneuert, und jede Schleimhautzelle wird durch eine neu gebildete ersetzt. Dieser Vorgang macht eine tägliche gute Nährstoffversorgung erforderlich.

Bei diesen ständigen Stoffwechselvorgängen kommt es aber immer wieder zu Fehlsteuerungen, was wiederum zur Bildung nicht funktionsfähiger Zellen führt. Diese werden dann von den Immunzellen erkannt und aufgefressen. Ist das Immunsystem jedoch zu schwach und erkennt die fehlgesteuerten, funktionsunfähigen Zellen nicht, können sie sich weiter ausbreiten, und es entsteht ein Krebsgeschwür.

Natürliche Entzündungsreaktionen

Beim Vernichten dieser fehlgesteuerten, funktionsunfähigen Zellen kommt es immer wieder zu kleinen Entzündungsreaktionen. Bei den Millionen gleichzeitig ablaufender Stoffwechselreaktionen im Darm bedeutet dies, dass das Immunsystem ständig mit kleinen Entzündungsreaktionen beschäftigt ist.

Diese Belastung des Systems nehmen gesunde Menschen überhaupt nicht wahr. Haben wir jedoch ein geschwächtes Immunsystem oder finden in unserem Darm allergische Reaktionen statt, breiten sich diese vormals kleinen Entzündungen aus, und es entstehen

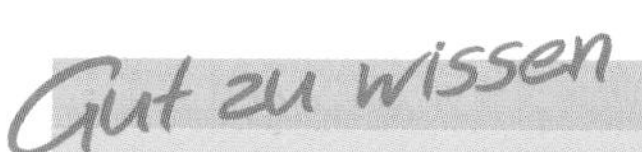

Entzündungswerte im Blut bestimmen lassen

Sie können bei Ihrem Hausarzt die Entzündungswerte im Blut bestimmen lassen. Fragen Sie hier nach dem so genannten ECP (eosinophilen cationischen Protein)-Wert. Im Normalfall muss dieser unter 25 µg/l liegen.
Achtung: Nicht jedes Labor kann diesen Wert bestimmen. Informieren Sie Ihren Hausarzt vor der Blutabnahme, dass Sie genau diesen Parameter bestimmt haben wollen.

große Entzündungsherde. Ist erst einmal ein ganzer Darmabschnitt betroffen, sind massive Verdauungsstörungen die Folge. Die Darmflora wird nicht mehr richtig versorgt, die gesunden Darmbakterien geraten in die Unterzahl und das Immunsystem wird weiter geschwächt – ein Teufelskreis beginnt.

Woran erkenne ich Entzündungen im Darm?

- Häufiger Durchfall, eventuell im Wechsel mit Verstopfung
- Blut im Stuhl
- Schmerzen beim Abtasten des Unterbauches
- Anhaltende starke Blähungen
- Druckempfindlichkeit des Darms

Natürliche Entzündungshemmer

Sekundäre Pflanzenstoffe aus Salat, Obst und Gemüse, so genannte Bioflavonoide, wirken entzündungsregulierend. Als besonders erfolgreich beim „Löschen" von Entzündungsherden haben sich die sekundären Pflanzenstoffe aus dem Ackerschachtelhalm erwiesen. Deshalb empfehlen wir zur Pflege des Darms einen Ackerschachtelhalm-Tee oder die Verwendung von Ackerschachtelhalm-Konzentraten.

Mein-Tipp

Essen Sie jeden Tag 4 Portionen Obst, Gemüse und Salat. Das ist leichter, als Sie denken: Bereichern Sie bereits Ihr Frühstück mit einem Stück Obst, zum Mittagessen gehört eine große Portion Salat oder Gemüse. Ein weiteres Stück Obst essen Sie zwischendurch oder als Nachtisch und zum Abendessen als Beilage noch etwas gedünstetes Gemüse.

Frisch auf den Tisch

Obst, Gemüse und Salat zu essen ist zum Großteil Gewohnheitssache. Sorgen Sie dafür, dass Sie immer etwas frisches Obst griffbereit haben. Der Anblick macht schon Appetit, und dann greifen Sie automatisch zu. Legen Sie sich das Obst in kleinen Portionen zurecht,

◀ Der Ackerschachtelhalm (Zinnkraut)

Wissenswertes über Bioflavonoide

Bioflavonoide sind gesundheitsfördernde sekundäre Pflanzenstoffe, die bislang wenig beachtet wurden, obwohl sie nachweislich eine Vielzahl positiver Einflüsse auf unsere Gesundheit haben. Pflanzen bilden diese Stoffe, um sich vor Feinden, z. B. Fraßfeinden, aber auch vor Umweltbelastungen und Sonneneinstrahlung zu schützen. Bislang sind über 10 000 solcher Stoffe bekannt, und es werden ständig weitere entdeckt.

Im Folgenden haben wir für Sie die positiven Wirkungen der Bioflavonoide zusammengestellt:

- Sie haben entzündungshemmende Wirkung.
- Sie tragen dazu bei, das Krankheitsrisiko für Krebs- und/oder Herz-Kreislauf-Erkrankungen zu senken.
- Sie stärken das Immunsystem.
- Sie regulieren den Cholesterinspiegel.
- Sie gleichen den Blutzuckerspiegel aus.
- Sie senken den Blutdruck.
- Sie fangen freie Radikale ein, die im Körper durch Stoffwechselvorgänge gebildet werden. Diese freien Radikalen werden als ein wesentlicher Grund für Alterungserscheinungen angesehen. Bioflavonoide sind deshalb auch wichtige Anti-Aging-Faktoren.

Bioflavonoide sind wahre Wunderwaffen der Natur. Wir sollten uns ihrer Wirkung bewusst werden und sie gezielt nutzen. Neben dem bereits erwähnten Ackerschachtelhalm enthalten folgende Pflanzen besonders viele Bioflavonoide:

- Gartenkräuter wie Schnittlauch, Petersilie und Kresse
- Lauch
- Zwiebeln
- Rucola
- Brokkoli
- Kohlgewächse
- Knoblauch
- Zitrusfrüchte
- Trauben

Das sind allesamt Lebensmittel, die wir einfach in unseren Speiseplan integrieren können. Mindestens zwei davon sollten täglich auf unserem Teller landen, mehr wären besser.

Sehr zur Freude der Rotweintrinker sei hier noch erwähnt, dass ein kleines Gläschen Rotwein (das berühmte „Achtele“) die Bioflavonoid-Bilanz des Tages sicher gut abrundet. Natürlich können Sie auch roten Traubensaft trinken, wenn Sie keinen Alkohol mögen, der hat fast die gleiche Wirkung.

Wissen

Jedes Obst oder Gemüse enthält eigene sekundäre Pflanzenstoffe, die verschiedene gesundheitsfördernde Wirkungen entfalten.
Deshalb sollten Sie in Ihrem Speiseplan so viele unterschiedliche Obst- und Gemüsesorten wie möglich unterbringen. Das gibt Ihnen die Garantie, genügend Bioflavonoide aufzunehmen.

größere Mengen gehören in den Kühlschrank, damit die Vitamine nicht so schnell verloren gehen.

Am besten wäre es natürlich, täglich frisches Obst einzukaufen. Wenn das nicht geht, hilft ein Kühlschrank mit speziellem Obstfach. Dort ist es etwas wärmer als im Rest des Kühlschranks, trotzdem aber kühl genug, um den Nährwert des Obstes zu erhalten. Wenn Sie kein Gemüsefach haben, legen Sie das Obst in eine Tupperdose und schlagen diese in ein frisches Geschirrtuch ein, das isoliert auch.

Es ist Ihnen gerade zu aufwändig, einen Salat zuzubereiten? Wie wäre es mit etwas klein geschnittenem rohem Gemüse? Ein paar Gurkenscheiben, ein paar Karottenstifte, einige Radieschen und eine aufgeschnittene Paprikaschote? Da greifen auch Kinder gerne zu. Fingerfood zu knabbern macht auch ihnen Spaß, und sie können gezielt das nehmen, was sie gerne mögen.

Wenn Sie kein frisches Gemüse vorrätig haben, ist Tiefkühlkost eine gute Alternative. Sorgen Sie für einen Vorrat an gefrorenem Gemüse, das ist blitzschnell verzehrfertig und leicht zu portionieren. Das Gemüse wird gleich nach der Ernte schonend eingefroren und behält so einen Löwenanteil an Vitaminen. Und das ist allemal besser als zu lange im Kühlschrank gelagerte Frischware.

Sie sind ein Gemüse-Muffel? Dann greifen Sie zu Obst- oder Gemüsesäften. Achten Sie jedoch darauf, dass Sie wirklich Saft kaufen. Nektargetränke haben einen zu geringen Frucht- oder Gemüseanteil. Sie schmecken zwar wie Saft, entsprechen in ihrer Zusammensetzung jedoch eher zuckerhaltigen Limonaden (siehe auch Seite 122).

Wenn Ihr Körper ausreichend Bioflavonoide erhält, werden Sie die gesunde Wirkung der Natur bald spüren. Ihr Darm wird sich sichtlich erholen und Ihrem Organismus mehr Nährstoffe zuspielen als bisher. Dadurch werden Sie automatisch vitaler und gewinnen an Ausstrahlung.

Gut zu wissen

Die Haut als Spiegel

Wussten Sie übrigens schon, dass der Darm mit der Haut in Verbindung steht? Deshalb gibt es bei entzündlichen Darmerkrankungen häufig auch Anzeichen von schuppiger oder neurodermitischer Haut. Hauterkrankungen werden deshalb von erfahrenen Ärzten, insbesondere von solchen mit naturheilkundlicher Ausbildung, sehr erfolgreich über den Darm therapiert.

Coach 2

STOFFWECHSEL-TUNING

Der Begriff Stoffwechsel bezeichnet die Gesamtheit aller lebensnotwendigen biochemischen Reaktionen in unserem Organismus. Diesen Umwandlungsprozessen sind alle Nährstoffe, aber auch alle körpereigenen Substanzen unterworfen. Nur wenn der Stoffwechsel optimal funktioniert, ist unser Körper voll leistungsfähig. Bringen wir also unseren Stoffwechsel und damit uns selbst in Schwung!

Stoffwechsel – der Schlüssel zur Traumfigur

Neueste Untersuchungen zeigen, dass Stoffwechsel und Energieumsatz bei Übergewichtigen nicht optimal ablaufen. Früher glaubte man, dass zum Abnehmen eine Kalorieneinsparung in der Ernährung ausreiche. Nicht berücksichtigt wurde hierbei jedoch die Intelligenz des Körpers.

Unser Organismus ist ein wahrer Anpassungskünstler, er gleicht seinen Energieverbrauch an eine niedrige Kalorienzufuhr an. Diese Reaktion dient dazu, uns vor dem Verhungern zu bewahren. Hat der Körper nur wenig Kalorien zur Verfügung, geht er damit besonders ökonomisch um. Das heißt, er reduziert seinen Grundumsatz, also seinen Kalorienverbrauch.

Das ist auch der Grund, warum man durch eine Diät allein nur kurzfristig

▼ Die gute Figur muss kein Traum bleiben.

▲ Vitalität und eine positive Ausstrahlung sind eng miteinander verbunden.

etwas abnehmen kann. In der Regel verliert der Körper aber nur Wasser und Muskelmasse. Und langfristig bleibt kein einziges Kilo Fett auf der Strecke. Schlimmer noch, der Körperfettanteil hat sich durch den Abbau von Muskulatur und den Wasserverlust noch erhöht.

Wenn Sie also erfolgreich Ihr Körpergewicht reduzieren wollen, brauchen Sie eine Doppelstrategie: Parallel zum Einsparen der Kalorien sollten Sie Ihren Stoffwechsel aktivieren, denn nur so erkennt Ihr Körper die Notwendigkeit, seine (Fett-)Reserven anzugreifen. Je besser Sie Ihren Stoffwechsel anregen, desto leichter können Sie ein paar Kilo abbauen, weil Sie mehr Energie verbrauchen. Eine umfassende Stoffwechselaktivierung erreichen Sie durch zusätzliche Bewegung, durch den Aufbau von Muskulatur sowie durch eine gezielte Versorgung mit Vital- und Mikronährstoffen.

Wenden Sie die Doppelstrategie an, sparen Sie Kalorien ein, und aktivieren Sie gleichzeitig Ihren Stoffwechsel – der Erfolg ist garantiert!

Stoffwechselaktivierung

Bewegung	Energieverbrauch pro Stunde
Gehen	280 kcal
Nordic Walking	400 kcal
Joggen	600 kcal
Skilanglauf	800 kcal

Muskelaufbau	Energieverbrauch pro Tag
Pro 500 g Muskelmasse	50–100 kcal zusätzlich

Vitalstoffe	Effekt
Vitamine, Magnesium, Zink, Chrom, Selen, Kräuter und Gewürze	Allgemeine Stoffwechselaktivierung

Der Stoffwechsel

Der Stoffwechsel im engeren Sinne dient der Umwandlung der chemischen Energie der Nahrungsstoffe in Wärme und Bewegung. Im weiteren Sinne ist der Stoffwechsel aber auch für die Herstellung der für den Organismus geeigneten Substanzen verantwortlich – um sie aufzunehmen, sie zu speichern, zu verwerten oder auszuscheiden.

Die Grundfunktionen des Stoffwechsels werden vererbt und sind bei allen Menschen im Wesentlichen identisch. Für Ausprägung und Schwerpunkte hingegen ist der Mensch durch seine Lebensweise weitgehend mitverantwortlich. Angesichts der ständig wachsenden Zahl von Menschen, die an einer chronischen Stoffwechselkrankheit leiden, rückt zunehmend die Frage in den Mittelpunkt, welche Gegenmaßnahmen zu ergreifen sind. Rund 6 Millionen Diabetiker Typ 2 in Deutschland und über 40 Millionen in den Vereinigten Staaten haben die Problematik längst von einer medizinischen zu einer gesamtgesellschaftlichen werden lassen.

Biochemische Reaktionen

Nahezu sämtliche biochemischen Reaktionen im menschlichen Körper können in beide Richtungen ablaufen. Genauso, wie sich aus Wasser und Kohlendioxid Wasserstoff und Bicarbonat bilden können, kann auch der umgekehrte Weg beschritten werden. Die Richtung der chemischen Reaktion ist abhängig vom Bedarf und der Menge der vorhandenen Substanzen. Der Körper ist folglich in der Lage, sich anzupassen und auf Signale zu reagieren. Das stärkste Signal, das viele Menschen ihrem Körper heute geben, ist das einer Nahrungsaufnahme, die den aktuellen Bedarf weit übersteigt. Der Organismus zieht daraus den logischen Schluss, dass der Überschuss gespeichert werden soll. Die dafür erforderlichen biochemischen Reaktionen im Kohlenhydrat- und vor allem im Fettstoffwechsel laufen daher immer in derselben Richtung ab: speichern.

Das wiederum führt dazu, dass die damit verbundenen Stoffwechselpfade immer besser ausgebaut werden. Mit der Konsequenz für den betroffenen Menschen, dass der umgekehrte Weg (Mobilisieren der gespeicherten Stoffe, z. B. wenn das Körpergewicht verringert werden soll) sehr schwierig zu beschreiten ist und nur langsam eine Reaktion zeigt. Oder simpel formuliert: Das Zunehmen geht rasend schnell, das Abnehmen funktioniert nur unter großen Mühen – wenn überhaupt.

Die Muskulatur verbraucht Energie

Durch eine bewegungsarme Lebensweise verbaut sich der Mensch darüber hinaus noch die wirksamste Möglichkeit, sein Gewicht zu kontrollieren und die Energiebilanz ausgeglichen zu gestalten: den Aufbau einer kräftigen Muskulatur. Die Muskeln verbrauchen am meisten Energie im menschlichen Körper. Sie müssen nämlich nicht

nur versorgt werden, wenn sie arbeiten. Auch in Ruhe verbraucht die Muskulatur Energie und bestimmt dadurch in hohem Umfang den so genannten Ruheumsatz mit. Wohl dem, der über viel Muskelmasse verfügt, er verbraucht seine überschüssige Energie sogar im Schlaf.

Das Speicherhormon Insulin

Wird die Muskulatur regelmäßig genutzt, beeinflusst das den Energiestoffwechsel nachhaltig. Während der auf Speichern ausgerichtete Stoffwechsel des bewegungsarm Lebenden einen hohen Insulinspiegel benötigt, um große Mengen von Kohlenhydraten aus dem zirkulierenden Blut in die Zellen zu befördern, trägt regelmäßige Bewegung dazu bei, viele kleine Kurzschlüsse aufzubauen (Glut-4-Transport), die ohne Insulin auskommen. Und das hat zwei entscheidende Vorteile: Die Insulin produzierenden Zellen der Bauchspeicheldrüse werden geschont, und der Insulinspiegel im Blut ist niedriger.

Da Insulin das stärkste Speicherhormon im menschlichen Körper ist, versetzen wir mit einem niedrigen Insulinspiegel den Körper in die Lage, die entsprechenden biochemischen Reaktionen leichter auch in der Gegenrichtung ablaufen zu lassen – in Richtung Mobilisierung der Fettdepots. Unterstützt wird diese Reaktion durch die Hormone Glucagon (bei Hunger) und Adrenalin (bei Arbeit, Sport, Bewegung).

Risikofaktor Übergewicht

Die Folgen des Übergewichts sind in höchstem Maße Besorgnis erregend. Übergewicht gilt heute neben Krebs auslösenden Faktoren (z. B. Rauchen) als der wichtigste lebensverkürzende Faktor. Massives Übergewicht führt mit hoher Wahrscheinlichkeit zum Diabetes mellitus Typ 2, der eine Vielzahl schwerwiegender Folgeerkrankungen haben kann: Erblinden, Nierenversagen, Durchblutungsstörungen – von dem erhöhten Risiko eines Herzinfarktes bzw. eines Schlaganfalls ganz zu schweigen.

Machen Sie sich mobil!

Bewegung ist ein zentraler Baustein auf dem Weg zu mehr Energie und einer guten Figur. Nur wenn Sie sich ausdauernd bewegen, kommt langfristig auch Bewegung in Ihre überflüssigen Pfunde.

Um 1 Kilogramm Körperfettmasse loszuwerden, bedarf es einer Stoffwechselaktivierung von 7000 Kilokalorien. Beim Joggen verbrauchen Sie pro Stunde ca. 600 Kilokalorien. Um 1 Kilo Körperfett allein durchs Joggen abzubauen, sind also 12 Trainingsläufe von je 1 Stunde notwendig. Wenn Sie zweimal pro Woche 1 Stunde laufen, dann haben Sie dieses Kilogramm nach 6 Wochen geschafft. Die Sache hat jedoch einen Haken: Die Voraussetzung für eine solche schnelle Gewichtsabnahme ist, dass Sie nicht mehr Kalorien zu sich nehmen, als Sie ohne die zusätzlichen Laufeinheiten verbrannt hätten. Wir sehen also, wir müssen auf beide Seiten achten: Wir können durch Bewegung viele Kalorien zusätzlich verbrauchen und darüber den Stoffwechsel anregen; wenn wir aber anschließend beim Essen grobe Fehler machen, ist der ganze Erfolg wieder dahin.

▼ Bewegung aktiviert den Stoffwechsel.

Mein-Tipp

Gönnen Sie sich nach dem Joggen jedes Mal ein Stückchen Schokolade oder eine kleine Kugel Eis – dann kommt erst gar kein Heißhunger auf. Zucker wird bis zu 2 Stunden nach der sportlichen Betätigung insulinunabhängig verstoffwechselt, es kommt also nur zu einem sehr geringen oder gar keinem Insulinspiegelanstieg.

AUS DER PRAXIS

Kalorienverschwender-Training

Laufen, schwimmen oder radeln Sie 25 Minuten lang so langsam, dass Sie sich dabei noch gut unterhalten können. In den letzten 5 Minuten erhöhen Sie dann Ihre Geschwindigkeit insgesamt fünfmal, immer etwa 20 Sekunden lang. Anschließend fallen Sie wieder etwa 40 Sekunden lang in Ihr ursprüngliches Tempo zurück. In den ersten 25 Minuten Ihres Trainings verbessern Sie Ihren Fettstoffwechsel, das heißt, Sie bringen Ihrem Körper bei, einen immer größeren Teil der von ihm benötigten Energie aus den Fettdepots des Körpers zu gewinnen. Die Trainingsfolge mit kurzzeitiger Geschwindigkeitssteigerung wird Steigerungstraining genannt. Es führt dazu, dass zum Ende der Trainingseinheit der Stoffwechsel noch einmal richtig auf Touren gebracht wird. Das hat dann einen besonders guten „Nachbrenneffekt". Ihr Stoffwechsel bleibt noch lange nach der Trainingseinheit auf hohem Niveau, und Sie verbrauchen auf diese Art zusätzlich Energie.

Planen Sie täglich 30 Minuten Bewegung ein, dabei verbrauchen Sie 200 Kilokalorien extra. Das macht auf das Jahr gesehen 73 000 Kilokalorien aus und entspricht einem Verlust an Fettmasse von 10 Kilogramm pro Jahr. Denken Sie immer in 30-Minuten-Einheiten: 30 Minuten spazieren gehen, schwimmen, Rad fahren oder joggen. Machen Sie sich Ihre tägliche Bewegungseinheit zur festen Gewohnheit, dann haben Sie langfristig Erfolg. Lassen Sie sich von dieser Gewohnheit nicht abbringen. Diese Zeit widmen Sie ganz sich selbst.

Sie können aus Ihrer Bewegungseinheit auch noch mehr für Ihren Stoffwechsel und Ihr Body-Tuning herausholen, wenn Sie die Kalorienverschwender-Variante ausprobieren (siehe Kasten oben).

Fettstoffwechseltraining

Über das Fettstoffwechseltraining wird viel diskutiert. Es gibt immer wieder Artikel in der Fachpresse, in denen der Ansatz vertreten wird, dass wir umso mehr Kalorien verbrauchen, je schneller und intensiver unser Training ist. Wer schneller läuft, verbrennt mehr. Hinsichtlich der Kalorienzahl ist das auch richtig, aber ein gezieltes Fettstoffwechseltraining braucht die langsame Bewegung, damit die Muskelfasern mehr fettverbrennende Enzyme herstellen können.

Außerdem geht es bei der Bewegung nicht nur um verbrannte Kalorien, sondern um den aktivierenden Effekt auf den ganzen Körper – also um die Kräftigung von Bindegewebe, Knochen, Immunsystem und um die Anregung des Darmes. Wenn Sie beim Laufen 200 Kilokalorien mehr verbrennen können, ist das schön, aber schon ein unkontrollierter Griff nach der Chipstüte – und der ganze Effekt ist dahin. Das Potenzial, Kalorien einzusparen, ist beim Essen definitiv höher.

Hier geht's ums Ganze

Unser Ansatz ist Spaß an der Bewegung: Genießen Sie Ihre Bewegungseinheit, dann fühlen Sie nach dem Training eine innere Balance und sind rundum erholt. Für uns ist dieses Bewegungstraining eine ganzheitliche Therapie – für Körper, Geist und Seele. Sie sollten nach Ihrer Bewegungseinheit mehr Kraft und Energie haben als vorher und einen richtigen Tatendrang verspüren.

▼ Bewegung soll Spaß machen. Laufen Sie zu zweit und genießen Sie diese Auszeit.

Nährstoffe tunen effektiv den Stoffwechsel

Kennen Sie den Ausspruch: „Man ist, was man isst?“ Bei jedem Auto ist uns ganz klar: Die Fahrleistung kann im Rahmen der Motorleistung nur so gut sein wie der Sprit, mit dem wir unser Fahrzeug betanken. Ganz ähnlich verhält es sich mit unserem Stoffwechsel, auch der kann nur rund laufen, wenn unser Körper auf die richtigen Nährstoffe in ausreichender Menge zugreifen kann. Für uns stellt sich jetzt die Frage: Welches sind die richtigen Nährstoffe, und welche Menge ist ausreichend?

Stoffwechselaktivatoren im Überblick

- B-Vitamine
- Magnesium
- Kalzium
- Zink
- Selen
- Chrom
- Wildkräuter und Gewürze

„Komplett-Dünge-Kapseln“ für den Stoffwechsel?

In der heutigen Zeit kann man jedes Vitamin, jeden Mineralstoff und auch schon verschiedene Pflanzenstoffe als Kapseln, Tabletten oder Getränk kaufen und einnehmen. Müssen wir uns dann überhaupt noch um unsere Ernährung kümmern? Ein ganz klares „Ja“ ist die Antwort.

Die natürliche Ernährung ist die wichtige Basis, denn natürliche Lebensmittel bieten uns mehr als nur die Summe der einzelnen Mikronährstoffe. Viele für unsere Gesundheit wichtige Stoffe, die in Obst und Gemüse enthalten sind, sind noch nicht einmal erforscht. Wir nehmen sie teilweise seit Jahrhunderten zu uns, unser Verdauungssystem hat sich im Laufe der Zeit an sie angepasst und nutzt sie zu unserem Besten.

Nährstoffe, die die Natur bereitstellt, verwandelt unser Verdauungssystem zu Bausteinen, aus denen unser Körper seinen eigenen, ganz individuellen Bedarf deckt. Denn kein Mensch benötigt von demselben Nährstoff dieselbe Menge, der Bedarf ist individuell verschieden. Versuchen Sie, weitestgehend auf die natürlichen Vitamin- und Mineralstoffspender zurückzugreifen und die künstlichen Tabletten und Kapseln wirklich nur als „Nahrungsergänzung“ zu sehen, nicht als Ersatz.

Mein-Tipp

Nehmen Sie immer nur gezielt die Nährstoffe auf, die Ihnen wirklich fehlen. Wilde Nährstoffkombinationen sind nicht ratsam.

Häufig sind Produkte, die als Nahrungsergänzungsmittel fungieren, nach dem Gießkannenprinzip zusammengestellt: von allem etwas, von A (Vitamin A) bis Z (Zink). Dieses Prinzip ist jedoch keineswegs sinnvoll, da sich verschiedene Mineralstoffe und Spurenelemente gegenseitig in der Aufnahme hemmen. Manche dieser Einflüsse kennen wir, viele sind jedoch noch unerforscht.

Es gibt derzeit vier Möglichkeiten herauszufinden, was Ihr Körper für seinen Stoffwechsel wirklich braucht.

Die Blutanalyse

Diese Untersuchungen sind bei Mineralien und Spurenelementen zu ungenau, da über 99 % des Magnesiums und Kalziums in den Knochen eingelagert sind, und die sind im Blut nicht zu bestimmen. Wird ein Kalzium- oder Magnesiummangel über das Blut festgestellt, ist es schon viel zu spät. Bei Vitamin A ist bekannt, dass die ermittelten Ergebnisse bei Frauen zyklusabhängig sind und deshalb nicht anhand einer solchen Messung bewertet werden können.

Wir empfehlen eine Blutanalyse dann einzusetzen, wenn Sie einen Verdacht haben oder Symptome beobachten – in Ergänzung zu einem Ernährungs-Check.

Die Haaranalyse

Die Haaranalyse kann gute Hinweise auf den Ernährungsstatus liefern – jedoch ist die Verlässlichkeit der Messergebnisse wissenschaftlich noch nicht genügend abgesichert.

Das Ernährungsprotokoll

Bei dieser Methode wird alles, was man isst, abgewogen und anschließend in eine Liste eingetragen, die dann per Computer ausgewertet wird. Diese Vorgehensweise ist allerdings sehr müh-

▼ Die Blutuntersuchung gibt Aufschluss.

AUS DER PRAXIS

Die Süßigkeiten-Falle

Süßigkeiten sind wahre Kalorienbomben. Sie enthalten viel Zucker und in der Regel auch viel Fett. Außerdem sind ihnen häufig Farb- und Konservierungsstoffe zugesetzt, die den Körper belasten, da er sie wieder ausscheiden muss. Ballaststoffe hingegen sind nicht enthalten. Werden über die tägliche Nahrungszufuhr nicht genügend Ballaststoffe aufgenommen, verlangsamt sich der Transport des Speisebreis durch den Darm. Der Stuhl wird hart, und es kommt zu Verzögerungen beim Stuhlgang.

Süßigkeiten sind arm an Vitaminen, Mineralstoffen und Spurenelementen. Werden sie in größeren Mengen verzehrt, verliert der Körper sogar vermehrt Spurenelemente: Über die Nieren werden dann deutlich mehr Chrom und Kalzium ausgeschieden, die wiederum der Darmschleimhaut und dem Stoffwechsel zur optimalen Funktion fehlen.

Doch auch hier sei erwähnt: In geringen Mengen haben Süßigkeiten keine schädliche Wirkung auf unsere Verdauung. Schokolade enthält sogar Krebsschutzstoffe, die wertvollen Bioflavonoide, sowie Inhaltsstoffe, die direkt auf das Gehirn wirken und die Glückshormonproduktion ankurbeln.

Achten Sie auf eine gute Versorgung mit Chrom, das dämpft den Heißhunger auf Süßes. Essen Sie regelmäßig Vollkornprodukte, Pilze und gelegentlich Nüsse.

Sie haben das Gefühl, zu viele Süßigkeiten zu verzehren? Sie können der

Schokoladentafel nicht widerstehen und können erst aufhören, wenn sie ganz aufgegessen ist? Anschließend fühlen Sie sich nicht gut und haben zudem ein schlechtes Gewissen? Da gibt es ein paar Tricks.

Süßigkeiten ja, aber in Maßen

Bewahren Sie Süßes schwer erreichbar auf, z. B. oben auf einem Schrank, sodass Sie erst klettern müssen, um dranzukommen. Holen Sie sich jedes Mal nur eine kleine Portion, und gehen Sie nur einmal innerhalb einer Stunde an Ihre Vorräte. Auf diese Art entkommen Sie dem verlockenden Teufelskreis der Süßigkeiten.

Der Verzehr von Süßem regt nämlich Ihre Insulinproduktion an, der Blutzuckerspiegel steigt jedoch nur kurzfristig, und bald verlangt der Körper abermals nach einer süßen Belohnung. Wenn Sie allerdings genug Zeit vergehen lassen, verschwinden die Gelüste von selbst, weil Ihr Blutzuckerspiegel sich wieder normalisiert hat.

sam und führt oft dazu, dass man es aus Bequemlichkeit nicht ganz so genau nimmt. Das verfälscht die Ergebnisse natürlich. Auch die Qualität der verwendeten Lebensmittel und die Art der Zubereitung finden in dieser Analyseform keine Berücksichtigung.

Ein weiterer Nachteil ist, dass nicht festgestellt werden kann, ob die aufgenommenen Nährstoffe auch tatsächlich vom Körper verwertet werden. Die Verwertungsleistung ist nämlich abhängig von der Darmgesundheit.

Der Ernährungs-Check

Hier werden mithilfe von mehr als 100 Fragen Ernährungsgewohnheiten erforscht und anschließend per Computer ausgewertet. Das ist die derzeit beste Methode, den Ernährungsstatus verlässlich abzubilden. Die ausgewerteten Parameter beziehen sich auf Basisernährung, Fettzusammensetzung, Mineralstoffe, Spurenelemente, Vitamine, Immunsystem und Bindegewebe (weitere Informationen siehe Anhang).

Doch auch mit dem Ernährungs-Check allein kann nicht festgestellt werden, ob und wie die aufgenommenen Nährstoffe tatsächlich vom Körper verwertet werden. Wenn Symptome von Darmentzündungen vorhanden sind (siehe auch Seite 46–47), sollte eine Blutanalyse (inklusive Entzündungswert ECP) zusätzlich zum Ernährungs-Check durchgeführt werden. Das ist eine gute und aussagekräftige Ergänzung.

Vitamin B aktiviert den Stoffwechsel

Es ist nicht nur im übertragenen Sinn gut, über Vitamin B zu verfügen, die B-Vitamine sind auch für unseren Organismus, insbesondere für einen reibungslos funktionierenden Stoffwechsel, von unschätzbarem Wert. Sie regen unermüdlich den Um- und Neubau in den Zellen an, wir brauchen sie für den gesamten Kohlenhydrat- und Eiweißstoffwechsel. Ein positiver Nebeneffekt guter B-Vitamin-Versorgung ist, dass wir immer auch gesunde Haut, kräftige, glänzende Haare und stabile Fingernägel haben.

Vollkornbrot ist ein guter B-Vitamin-Spender. Weitere Lieferanten für Vitamin B, die gleichzeitig auch magnesiumreich sind, finden Sie in der Aufstellung auf Seite 64.

Mein-Tipp

Reichern Sie Ihre Salatsaucen immer mit 2 EL Hefeflocken an – das gibt eine Extraportion Vitamin B.

AUS DER PRAXIS

Ein „Achtele“ in Ehren

Hin und wieder ein Glas Wein oder ein Bier zu einer guten Mahlzeit sind durchaus empfehlenswert, da dies entspannt und die Blutgefäße offen hält. So konnte nachgewiesen werden, dass moderater Alkoholkonsum das Risiko der Verengung der Herzkranzgefäße senkt.

Rotwein, und auch roter Traubensaft, entfalten sogar wichtige antioxidative Wirkungen im Körper, die vor Krebs- und Herz-Kreislauf-Erkrankungen schützen. Alkohol in geringer Menge kann sogar den Wert des guten Cholesterins (HDL) im Blut erhöhen.

Vorsicht ist jedoch geboten, wenn Alkohol regelmäßig und in größeren Mengen getrunken wird. In diesem Fall stellt er ein Gesundheitsrisiko dar. Der Nährstoffhaushalt des Körpers wird durch Alkohol stark gestört. Vitamine, aber vor allem die stoffwechselaktivierenden Mineralstoffe wie z. B. Kalium, Kalzium und Magnesium sowie die Spurenelemente Zink und Chrom, werden verstärkt mit dem Urin ausgeschwemmt. Der Stoffwechsel kommt durch diesen

Mineral- und Spurenelementverlust nicht wie gewohnt auf Touren.

Darüber hinaus verursacht Alkohol im Körper Zellschädigungen und beschleunigt auf diese Weise die Zellalterung. Außerdem kann Alkohol die Schleimhäute, vor allem im Magen und Darm, angreifen und schmerzhafte Entzündungen hervorrufen.

Auch in puncto Gewichtskontrolle kann Ihnen der Alkohol einen Strich durch die Rechnung machen, enthält er doch fast so viele Kalorien wie Fett. Ein Achtel Liter Wein zum Essen steuert 100 Kilokalorien bei.

Magnesium zündet

Magnesium funktioniert wie eine Zündkerze im Kohlenhydrat- und Eiweißstoffwechsel, ohne diesen Stoff läuft nichts. Magnesium aktiviert über 300 Abläufe in unserem Körper. Darüber hinaus hat es die Aufgabe, die Zellmembranen und das Nervensystem zu steuern. Es hilft, Stress abzubauen, sorgt für eine starke Herzmuskulatur und beugt Herzrhythmusstörungen vor. Außerdem sorgt Magnesium für eine bessere Belastbarkeit der Muskulatur: Die Muskelfaser wird elastischer und ist somit besser gegen Risse geschützt. Nächtliche Muskelkrämpfe z. B. deuten auf einen Mangel an Magnesium hin.

Gut zu wissen

Magnesium gegen Krämpfe

Bei nächtlichen Muskelkrämpfen nehmen Sie täglich 200 mg Magnesium über einen Zeitraum von sechs Wochen. So lange dauert es nämlich, bis die Magnesiumvorräte in der Muskulatur wieder aufgefüllt sind.

B-Vitamin- und magnesiumreiche Lebensmittel sind

- Weizenkeime
- Hefeflocken
- Nüsse
- Vollkornprodukte

Hat die Natur das nicht toll eingerichtet? B-Vitamine und Magnesium sind in denselben Lebensmitteln besonders reichlich enthalten. So können wir mit ein und demselben Lebensmittel gleich zweimal etwas Gutes für unseren Stoffwechsel tun.

Essen Sie täglich ein paar Nüsse, die sind ernährungsphysiologisch besonders wertvoll und sättigen gut. Nüsse sind der ideale Snack für die Arbeit am Schreibtisch. Walnüsse eignen sich gut als Bereicherung für einen Salat.

▲ Nüsse liefern Vitamin B und Magnesium.

Die Magnesiumaufnahme

Aus ernährungsmedizinischer Erfahrung wissen wir, dass wir unseren Magnesiumbedarf allein aus der natürlichen Nahrung nur unvollständig decken. Oft liegt die Magnesiumaufnahme an der unteren Grenze oder knapp darüber. Deshalb empfehlen wir für ein optimales Body-Tuning generell täglich 200 mg Magnesium zusätzlich aufzunehmen, entweder als Brause- oder als Lutschtablette. Wenn Sie Tabletten als Nahrungsergänzung ablehnen, können Sie aber auch gezielt magnesiumreiches Mineralwasser (>100 mg pro Liter) kaufen. Hiervon sollten Sie dann täglich etwa zwei Liter trinken.

Mein-Tipp

Eine Extraportion von täglich 200 mg Magnesium sollte zur festen Gewohnheit werden, denn nur eine langfristige und regelmäßige Gabe wirkt sich positiv auf Muskulatur, Herz und Stoffwechsel aus.

Magnesium optimal nutzen

Magnesium liebt die Gesellschaft von Kalium, Vitamin B_6, löslichen Faserstoffen (Inulin und Oligofruktose) und Sonnenschein. Auch wenn Sie glauben, immer genügend Magnesium aufgenommen zu haben, kann es sein, dass dieses Magnesium nie in Ihren Zellen angekommen ist, sondern vom Körper ungenutzt wieder ausgeschieden wurde. Die Aufnahme und Einlagerung von Magnesium wird durch die oben genannten Stoffe gefördert. Ist keiner dieser Helfer zur Stelle, kann der Körper das Magnesium nur unzureichend aufnehmen. Deshalb ist es sinnvoll, Magnesiumpräparate mit einer Mahlzeit zu kombinieren, die eine ausreichende Menge dieser Stoffe enthält.

▼ Einflüsse auf die Magnesium-Bilanz im Überblick

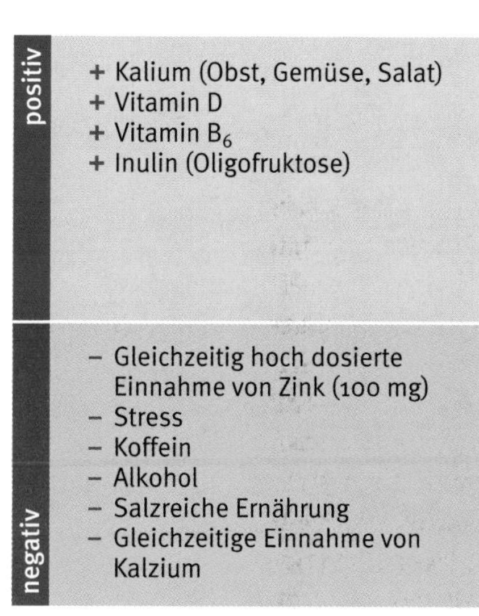

positiv
+ Kalium (Obst, Gemüse, Salat)
+ Vitamin D
+ Vitamin B6
+ Inulin (Oligofruktose)
negativ
– Gleichzeitig hoch dosierte Einnahme von Zink (100 mg)
– Stress
– Koffein
– Alkohol
– Salzreiche Ernährung
– Gleichzeitige Einnahme von Kalzium

Kaliumreiche Lebensmittel sind

- Gemüse
- Salat
- Obst
- Käse (insbesondere Mozzarella)

Reich an löslichen Faserstoffen sind

- Zwiebeln
- Knoblauch
- Weizenvollkornbrot
- Spargel (siehe auch präbiotische Lebensmittel, Seite 32)

Ein weiterer entscheidender Baustein für eine optimale Magnesiumresorption ist Vitamin D. Der Körper bildet es selbst, benötigt dazu aber Sonnenlicht. Ein 30-Minuten-Spaziergang an der frischen Luft begünstigt auch die Magnesiumeinlagerung – also nichts wie raus!

Magnesiumverschwender

Leider gibt es auch ein paar Faktoren, die unsere Magnesiumresorption stark beeinträchtigen. Aber wenn wir sie kennen, können wir ihnen entgegenwirken. Größere Mengen Koffein sowie Stress und Alkohol führen zu einem erhöhten Magnesiumverlust über den Urin. Wenn Ihr Kaffeekonsum drei Tassen pro Tag übersteigt und/oder Sie viel Stress ausgesetzt sind, sollten Sie einfach die tägliche Magnesiumzufuhr erhöhen. In Phasen erhöhten Alkoholgenusses sollte die Extraportion Magnesium auf 300 mg angehoben werden.

Kalzium – der oft verkannte Fettkiller

Neuere Untersuchungen haben gezeigt, dass Kalzium aus Milchprodukten vor Übergewicht schützt, da es immer in Verbindung mit konjugierter Linolsäure (CLA) auftritt, die anregend auf den Stoffwechsel wirkt. Wählen Sie deshalb Milchprodukte als Kalziumspender. Die empfohlene Tagesdosis beträgt 800 mg. Die Grafik unten hilft Ihnen bei der Auswahl.

Kalzium optimal nutzen

Ebenso wie für Magnesium gibt es für Kalzium Faktoren, die die Aufnahme im Körper fördern. Dazu gehören das Spurenelement Bor (siehe Stoffwechselaktivator Bor), die löslichen Faserstoffe Oligofruktose und Inulin sowie die Kombination mit einer Zuckerverbindung, z. B. Laktose (Milchzucker). Auch Kieselsäure (siehe Bindegewebs-Tuning) und Vitamin D fördern die Kalziumaufnahme – ein weiterer Grund für unseren 30-Minuten-Spaziergang.

Schlechte Kombinationen

Werden hoch dosierte Zinkpräparate, Ballaststoffe und Phosphor gleichzeitig mit Kalzium zugeführt, kann der Darm das Kalzium nicht oder nur unzurei-

▼ Kalziumgehalt in Lebensmitteln – Tagesempfehlung: ca. 800 mg

Käse (60 g)	540 mg
Milch (200 ml)	240 mg
Grünkohl (100 g)	210 mg
Amaranth (60 g)	126 mg
Brokkoli (100 g)	100 mg
Mandeln (30 g)	75 mg

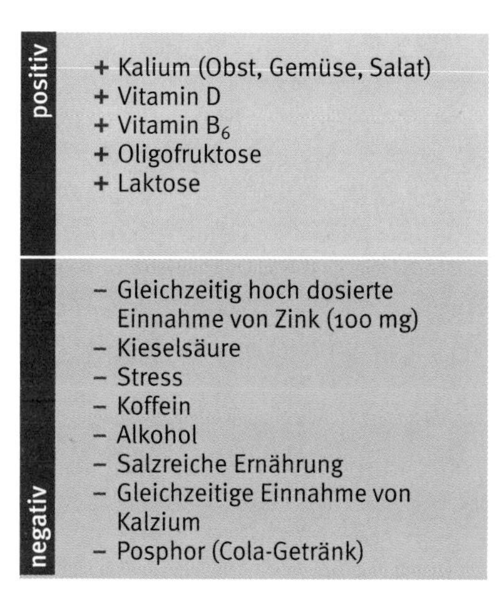

positiv	+ Kalium (Obst, Gemüse, Salat) + Vitamin D + Vitamin B_6 + Oligofruktose + Laktose
negativ	– Gleichzeitig hoch dosierte Einnahme von Zink (100 mg) – Kieselsäure – Stress – Koffein – Alkohol – Salzreiche Ernährung – Gleichzeitige Einnahme von Kalzium – Posphor (Cola-Getränk)

▲ Einflüsse auf die Kalziumbilanz im Überblick

chend aufnehmen. Lassen Sie zwischen der Einnahme des Kalziums und der der anderen Stoffe ein paar Stunden vergehen. Die Lebensmittel, die das betrifft, sind kleiehaltige Vollkornprodukte, Rhabarber, Spinat und Phosphor, der sich hauptsächlich in Cola-Getränken findet.

Kalziumverschwender

Folgende Essgewohnheiten haben einen negativen Einfluss auf unseren Kalziumhaushalt und führen dazu, dass über den Urin vermehrt Kalzium ausgeschieden wird: übermäßiger Genuss von einfachen Zuckern (Süßigkeiten, Limonaden usw.), eine hohe Zufuhr von Eiweiß, großzügiger Verbrauch von Kochsalz, hoher Kaffeekonsum.

Auch hier gilt: Da wir die Zusammenhänge kennen, können wir gegensteuern. Natürlich könnten wir einfach zusätzlich ein Kalziumpräparat nehmen, aber es gibt auch ausreichend natürliche Lebensmittel, die viel Kalzium enthalten (siehe Seite 66) und leicht in ausreichender Menge verzehrt werden können.

Zink bringt die Hormone in Schwung

Zink aktiviert weit über 200 Enzymreaktionen und ist deshalb genau wie Magnesium ein zentrales Steuerungselement im Stoffwechsel. Es ist maßgeblich beteiligt am Aufbau mehrerer Hormone. Es wird z. B. für den Aufbau der Schilddrüsenhormone, des Wachstumshormons, des Insulins und der Gewebehormone benötigt. Darüber hinaus übernimmt Zink auch eine zentrale Rolle in der Zellteilung. So ist der Auf- und Abbau von Nukleinsäuren zinkabhängig. Bei einer Unterversorgung reagieren die zinkhaltigen Enzymsysteme mit einem Aktivitätsabfall. Infolgedessen kommt es zu einer Verlangsamung des Stoffwechsels und einer Schwächung des Immunsystems. Auch Haarausfall kann mit einem Zinkmangel in Verbindung stehen.

Anzeichen eines Zinkmangels

Fingernägel	Weiße Flecken
Haare	Haarausfall
Haut	Ausschläge, Pusteln, Verhornung, verzögerte Wundheilung
Immunsystem	Infektionsanfälligkeit, Hemmung der zellulären Abwehr

Zink ist nicht gleich Zink

Tendenziell wird Zink aus tierischen Lebensmitteln von unserem Körper besser verwertet als Zink aus pflanzlichen Produkten. Förderlich für die Zinkaufnahme im Darm sind Aminosäuren, z. B. Histidin, Cystein und Glutamin, sowie die Vitamine A und B_6.

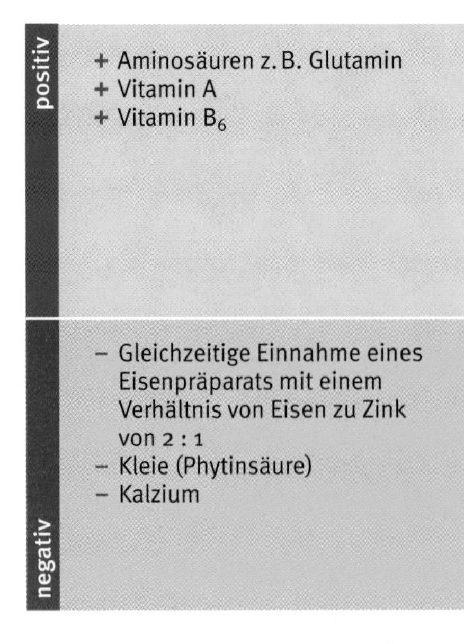

positiv
+ Aminosäuren z. B. Glutamin
+ Vitamin A
+ Vitamin B6
negativ
– Gleichzeitige Einnahme eines Eisenpräparats mit einem Verhältnis von Eisen zu Zink von 2 : 1
– Kleie (Phytinsäure)
– Kalzium

▲ Einflüsse auf die Zink-Bilanz im Überblick

Die Kombination eines Zinkpräparats mit Kalzium oder die Kombination eines Zinkpräparats mit einem Eisenpräparat, bei dem der Eisenanteil deutlich überwiegt, hemmt die Zinkaufnahme. Auch die Kombination Zink und Kleie (Phytinsäure) ist ungünstig.

Greifen Sie beim Kauf von Vollkornbrot zu einem Brot mit Sauerteiganteil. Durch die Sauerteigführung wird die Phytinsäure abgebaut.

Abstand, der gut tut

Eine gleichzeitige Gabe von Magnesium, Kalzium und Zink in Form einer Nahrungsergänzung kann die Verwertung dieser Stoffwechselaktivatoren empfindlich behindern.

Wenn Sie sowohl Kalzium als auch Zink und Magnesium aufnehmen möchten, wählen Sie drei verschiedene Präparate und lassen Sie mindestens jeweils drei Stunden vergehen zwischen der Aufnahme. Für das Magnesium wählen Sie die Tageszeit aus, zu der Sie die kaliumreichste Mahlzeit zu sich nehmen (z. B. abends zur Gemüsebeilage), so ist die Resorptionsquote am höchsten. Wenn Sie dennoch ein Kombinationspräparat mit Magnesium, Kalzium und Zink einnehmen möchten, dann wählen Sie ein Multipräparat, das zusätzlich alle Inhaltsstoffe enthält, die einen fördernden Einfluss auf die Kalzium-, Magnesium- bzw. Zinkaufnahme haben: Kalium, Vitamin B_6, Inulin/Oligofruktose, Milchzucker/Traubenzucker/Fruchtzucker und Aminosäuren. Nur zusammen mit diesen Stoffen ist eine hohe Verwertbarkeit aller drei Stoffwechselaktivatoren wirklich garantiert.

Mit Selen den Grundumsatz erhöhen

Selen ist ein Bestandteil des Schilddrüsenhormons und an der Regulierung Ihres Grundumsatzes (Kalorienverbrauch in Ruhe ohne körperliche Aktivität) beteiligt. Ein Selenmangel kann zu einer Schilddrüsenunterfunktion und damit zu einem verlangsamten Stoffwechsel führen. Selen ist zudem Bestandteil des Schutz-Enzyms Glutathionperoxidase. Dieses Enzym schützt unsere Zellen und die Zellmembranen vor vorzeitiger Alterung. Die Wissenschaft spricht von einer antioxidativen Wirkung dieses Enzyms. Ein Mangel wird in Verbindung gebracht mit Arthritis, Herzinsuffizienz, Rheuma, Krebs, Herzschwäche, Immunschwäche, Allergien und Darmentzündungen. Untersu-

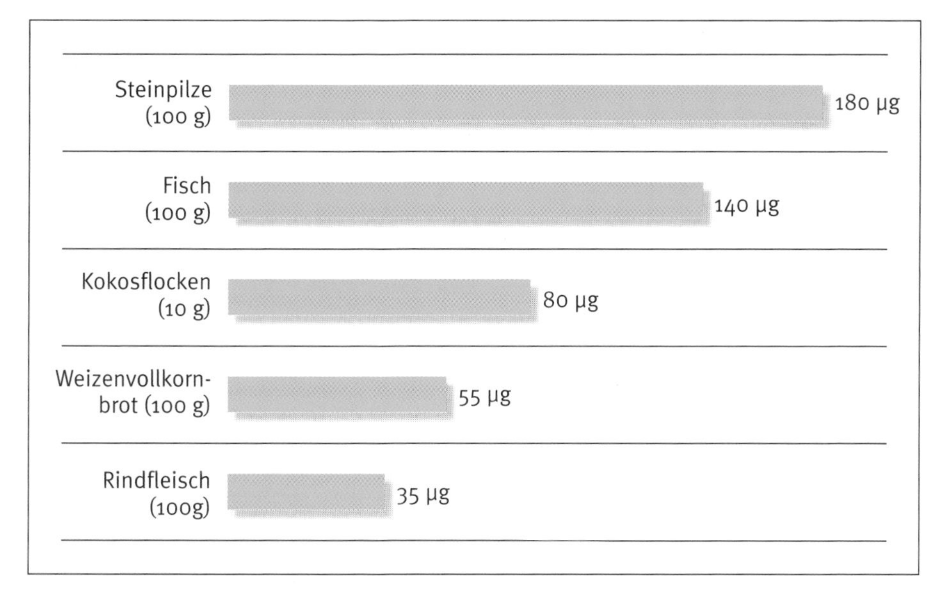

▲ Selenreiche Lebensmittel – Tagesempfehlung: 100 µg

chungen haben z. B. gezeigt, dass der Selenspiegel bei Krebspatienten deutlich niedriger ist. Eine selenreiche Ernährung wird deshalb zur Krebsvorbeugung und Stärkung des Immunsystems empfohlen.

Mit der täglichen Ernährung nehmen wir Selen in geringen Mengen auf, z. B. durch folgende Lebensmittel: Fleisch, Fisch, Vollkornprodukte, Weizenkeime, Hefeflocken, Obst, Gemüse, Knoblauch und Zwiebeln.

Die tägliche Selenaufnahme sollte etwa bei 100 µg liegen (100 Mikrogramm entsprechen 0,1 Milligramm). Generell sind die Böden in Deutschland sehr selenarm, sodass die durchschnittliche Selenaufnahme über die Nahrung täglich nur bei etwa 55 µg liegt. Um über die Ernährung an mehr Selen zu kommen, können wir aus den besonders selenreichen Lebensmitteln einige auswählen.

Mein-Tipp

Wenn kein selenreiches Lebensmittel Sie anspricht, empfehlen wir eine Nahrungsergänzung mit Selenpräparaten.

Selen lässt die Pfunde purzeln

Selen hat die Fähigkeit, die Schwermetalle Quecksilber, Kadmium und Blei auszuleiten. Das ist besonders wichtig, wenn wir unsere Fettdepots abbauen möchten. Denn dort hat unser Körper im Laufe der Zeit alle Schadstoffe gespeichert, die er gerade nicht abtransportieren konnte. Die Fettdepots sind also eine Art Abstellkammer für ungenutzte und auch ungesunde Stoffe. Während eine normale Nahrungsergänzung mit Selen im Bereich von täglich 50 µg liegen sollte, werden bei Schwermetallausleitungen höhere Dosierungen im Bereich von 200–400 µg täglich empfohlen.

Chrom bringt Energie

Das Spurenelement Chrom hilft unserem Körper, aufgenommene Fette und Kohlenhydrate besser zu nutzen und in Energie zu verwandeln. So können wir, wenn wir unseren Fettstoffwechsel gut trainiert haben und uns für eine chromreiche Ernährung entscheiden, Fette vermehrt als Energiequelle einsetzen und unsere wertvollen Kohlenhydratdepots in Muskulatur und Leber für besondere Belastungen wie z. B. sportliche Betätigungen schonen.

So trainieren Sie Ihren Fettstoffwechsel: Bewegen Sie sich täglich mindestens 30 Minuten. Dafür eignet sich ein zügiger Spaziergang, Schwimmen oder auch Rad fahren.

▲ Radfahren trainiert den Fettstoffwechsel.

Ist unser Fettstoffwechsel nicht trainiert und fehlt zudem Chrom in der Ernährung, wählt der Körper sofort den bequemeren Weg und verbrennt erst einmal die Kohlenhydrate. Sollte zu viel Fett angeliefert werden, speichert er es einfach für Notzeiten im Hüftgürtel.

Um in unserem Körper Energie freizusetzen, muss Zucker über das Blut in Muskulatur und Leber transportiert und dort aufgenommen werden. Chrom sorgt dafür, dass dieser Prozess reibungslos abläuft. Eine Unterversorgung führt einerseits zu erhöhten Blutzuckerwerten, welche die Blutgefäße schädigen, und andererseits zu niedrigen Kohlenhydrat-Energiespeichern in Muskulatur und Leber. Sind die Energietanks aber nicht voll, ermüden wir schneller.

Doch Chrom kann noch mehr: Untersuchungen haben gezeigt, dass sich bei chromreicher Ernährung die Cholesterinwerte verbessern, die schützenden HDL-Werte steigen an. Nachweisen konnte man auch, dass Chrom eine wesentliche Bedeutung bei der Bekämpfung von Heißhunger hat: Wer überfallartig den Kühlschrank leert, ernährt sich deutlich zu chromarm. Es ist schon beeindruckend, für wie viele Vorgänge im Körper Chrom wichtig ist.

Bedeutung einer chromreichen Ernährung

- Verbesserung des Fettstoffwechsels
- Prävention vor Altersdiabetes
- Höhere Energiespeicher in Muskulatur und Leber
- Bessere HDL-Cholesterinwerte: Schutz vor Herzinfarkt
- Keine Heißhungerattacken

Gut zu wissen

Bei Diabetes Chrom

Bei beginnendem Typ 2 Diabetes – so genanntem Altersdiabetes – reicht häufig eine Nahrungsergänzung mit Chrom aus, um die Blutzuckerwerte wieder ins Lot zu bekommen.
Die empfohlene Dosierung der Nahrungsergänzung beträgt täglich ca. 200 µg.

Mein-Tipp

Nehmen Sie jeden Tag gezielt einen Chromspender zu sich: entweder 2 Scheiben Vollkornbrot, 100 g Pilze oder eine Hand voll Nüsse.

Die Gegenspieler

Die Aufnahme von Chrom wird genauso wie die von Eisen und Zink durch die Phytinsäure gehemmt. Phytinsäure kommt in Vollkornprodukten vor. Nur wenn diese Phytinsäure abgebaut wird, können wir die wertvollen Spurenelemente aus den Vollkornprodukten aufnehmen. Also gilt auch hier: Vollkornbrot mit einem Sauerteiganteil kaufen! (siehe auch Seite 68). Einfache Zucker, wie sie zu großen Mengen in Limonaden, Cola-Getränken und Süßigkeiten enthalten sind, sind wahre Chromräuber. Sie führen zu erhöhter Chromausscheidung über die Nieren.

Setzen Sie den Bor-Joker

Das Spurenelement Bor ist nicht nur für die Bildung von Vitamin D unerlässlich, sondern auch für die Bildung der Hormone Östrogen und Testosteron.

▼ Pflaumen sind ein guter Bor-Lieferant.

Der Rückgang dieser Hormone wird als wesentlicher Grund dafür angesehen, dass ab dem 40. Lebensjahr der Körper vermehrt Fett einlagert, gleichzeitig die Muskelmasse abnimmt und die Neigung zu Depressionen steigt. Östrogen senkt außerdem die Anfälligkeit für Herz-Kreislauf-Erkrankungen, stimuliert den Aufbau der Knochensubstanz und hilft gegen Hitzewallungen und Schlafstörungen. Testosteron steigert die Aktivität, sorgt für den Muskelaufbau und den Fettabbau.

Die Verteilung von Östrogen und Testosteron über die Lebenszeit sehen Sie in der Grafik auf Seite 73. Ein bewegungsreicher Lebensstil lässt den Östrogen- sowie den Testosteronspiegel steigen und sorgt so für einen aktiveren Stoffwechsel.

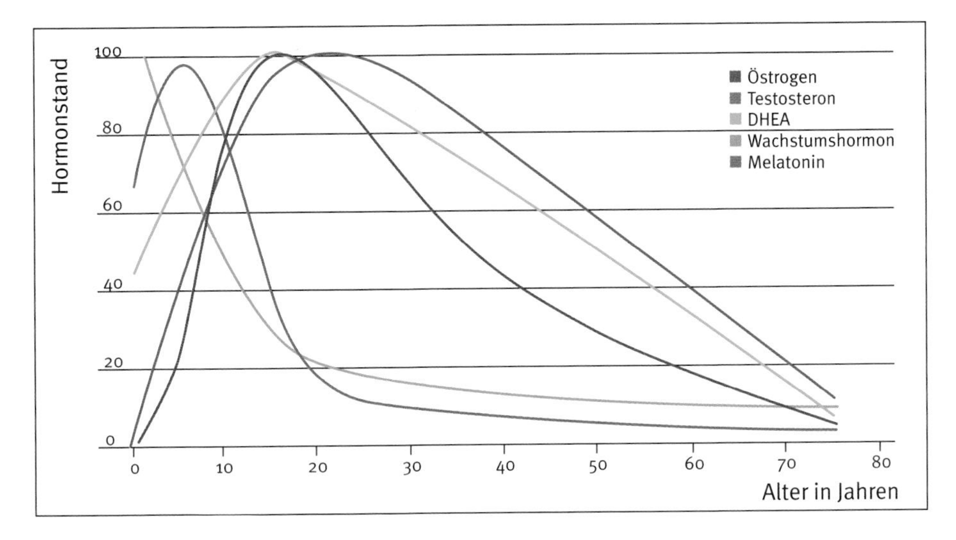

▲ Im Laufe des Lebens sinkt der Spiegel der verschiedenen Hormone drastisch.

Wissenschaftliche Untersuchungen haben gezeigt, dass schon eine zusätzliche Aufnahme von täglich 3 mg Bor den Östrogen- und Testosteronspiegel im Blut deutlich erhöht. Er steigt sogar weiter an als bei einer gängigen vom Arzt verordneten Hormontherapie. Gleichzeitig verloren die untersuchten Personen über den Urin während der Nahrungsergänzung mit Bor deutlich weniger Kalzium und Magnesium, beide Stoffwechselaktivatoren wurden verstärkt im Körper gehalten. Deshalb wird eine borreiche Ernährung auch als Osteoporoseschutzfaktor angesehen.

Außerdem scheint es einen Zusammenhang zwischen der Borversorgung und arthritischen Erkrankungen zu geben: So werden in Ländern, deren Bevölkerung zu einem hohen Anteil an Arthritis leidet, nur 1–2 mg Bor mit der täglichen Nahrung aufgenommen; in Gebieten mit einer geringen Arthritisquote hat man festgestellt, dass der durchschnittliche Borgehalt der Nahrung hingegen bei 5–10 mg liegt.

Bor in Lebensmitteln

Menge	Nahrungsmittel	Bor in mg
100 g	Soja	2,8
100 g	Pflaumen	2,7
100 g	Rosinen	2,4
100 g	Nüsse	2,0
100 g	Datteln	1,0
0,1 l	Rotwein	0,85

Wildkräuter und Gewürze – geheimnisvolle Kräfte neu entdecken

Stoffwechselaktivierend wirken besonders die Wildkräuter Ackerschachtelhalm und Brennnessel sowie die Gewürze Ingwer, Chili und Pfeffer. Während man früher Wildkräuter noch gesammelt und in der heimischen Küche verwendet hat, ist das Wissen darüber in den letzten Jahrzehnten nahezu untergegangen. Lassen wir es wieder aufleben, verschaffen wir uns eine Extra-Aktivierung durch Wildkräuter.

▼ Wildkräuter regen den Stoffwechsel an.

Um den Stoffwechsel in Schwung zu bringen, haben sich besonders der Ackerschachtelhalm, den wir schon als Stärkungsmittel für Bindegewebsstrukturen kennen gelernt haben, sowie die Brennnessel bewährt. Eine Nahrungsergänzung mit Ackerschachtelhalm-Konzentrat bzw. Tees aus Ackerschachtelhalmen oder Brennnesseln sind deshalb empfehlenswert.

Beide Wildkräuter sind auch deshalb so wertvoll, weil sie sekundäre Pflanzenstoffe enthalten, die das Immunsystem stabilisieren. Sie helfen außerdem bei Rheuma.

Die Scharfmacher

Bieten Sie Ihren Geschmacksnerven neue Reize, verwenden Sie doch vermehrt die stoffwechselaktivierenden Gewürze Ingwer, Chili und Pfeffer. Wenn Sie beim Thai oder Inder schon einmal ein scharfes Gericht gegessen haben, dann wissen Sie, was unter der Aktivierung des inneren Feuers durch Gewürze zu verstehen ist.

Besonders ans Herz legen möchten wir Ihnen die Verwendung von frischem Ingwer. Geschält und klein geschnitten können Sie die Wurzel zusammen mit Gemüse oder Fleisch anbraten.

Tee, Kaffee und Zigaretten – beliebte Genussmittel differenziert betrachten

Stoffwechselanregend sind auch koffeinhaltige Getränke wie grüner oder schwarzer Tee und natürlich Kaffee. Diese Getränke enthalten auch sekundäre Pflanzenstoffe (Polyphenole) und wirken in Maßen genossen stabilisierend auf das Immunsystem, ja, ihnen wird sogar ein Krebsschutzfaktor zugesprochen. Der Polyphenolstoff Kaffeesäure ist z. B. ein potenter Faktor gegen die körpereigene Nitrosaminbildung, die als Krebs auslösend gilt. Nitrosamine bilden sich u. a. im Körper aus der Kombination von Nitrat und Eiweiß. Beugen Sie dem vor, indem Sie möglichst wenig Nitrat mit der Nahrung aufnehmen.

Gut zu wissen

Nitratarmes Gemüse

In Bio-Läden oder direkt beim (Bio-) Bauern erhalten Sie nitratarmes Gemüse. Der Qualitätsunterschied liegt im Anbau, generell ist Freilandgemüse nitratärmer als das in Gewächshäusern gezogene. Fehlendes Sonnenlicht, überdüngte Böden und schnelles Wachstum sind die Gründe für eine Nitratanreicherung

Vorsicht, Nitrosamine!

Immer wieder wird darauf hingewiesen, dass die Kombination Käse und Schinken (z. B. auf einer Schinken-Pizza) die Nitrosaminbildung fördert. Das stimmt zwar, aber die Mengen sind so verschwindend gering, dass diese Kombination keine maßgebliche Bedeutung für die Bildung von Nitrosaminen im Körper hat.

Über die Nahrung nehmen wir täglich durchschnittlich etwa 0,5 µg (Mikrogramm) belastende Nitrosamine auf. Das meiste Nitrat gelangt jedoch über den Tabak in unseren Organismus: pro Zigarette 1 µg.

Der blaue Dunst

Es ist kein Geheimnis: Rauchen erhöht den Grundumsatz. Und so ist es häufig auch die Angst vor Gewichtszunahme, die als Grund angegeben wird, wenn jemand nicht mit dem Rauchen aufhören möchte. Der plötzliche Verzicht auf Zigaretten lässt den Stoffwechsel in der Tat etwas zurückgehen. Hinzu kommt, dass viele Menschen ihren Verzicht mit Süßigkeiten kompensieren.

Gibt ein Raucher das Rauchen auf, kann er die Stoffwechselaktivierung, die das Nikotin einer Zigarette bewirkt hat, durch 2 Minuten Bewegung zusätzlich pro Tag wettmachen. Dafür lohnt es sich wohl kaum, die vielen Nachteile des Rauchens in Kauf zu nehmen.

BINDEGEWEBS-TUNING

Das Bindegewebe hält im wahrsten Sinne des Wortes alles in unserem Körper zusammen. Ein starkes Bindegewebe kräftigt deshalb auch den gesamten Körper. Wir verabschieden uns von Cellulite und beugen vielen anderen Krankheits- und Alterungserscheinungen vor. Hier kann sich der Traum von Spannkraft und Dynamik erfüllen.

Das Bindegewebe hält zusammen, was zusammengehört

Sehnen, Bänder und Knorpelstrukturen sorgen dafür, dass unsere Knochen optimal miteinander verbunden sind und dass die Kraftübertragung von der Muskulatur auf das Knochengerüst überhaupt möglich ist. Jedes Organ ist zudem umgeben von einer schützenden Bindegewebshülle, und jeder Muskel überträgt seine Kraft über eine Sehne auf den Knochen. Zu den Bindegewebsstrukturen zählen auch die Gelenkknorpel und die Bandscheiben. Ein Mensch hat je nach Größe zwischen 10 und 12 Kilogramm Bindegewebe – das ist schon eine Menge. Und da dieses Bindegewebe für unser Wohlbefinden so wichtig ist, lohnt es, sich ein paar Gedanken darüber zu machen, wie wir es gesund erhalten und was wir tun können, wenn es nicht mehr so gut in Form ist.

▼ Ein intaktes Bindegewebe federt Stöße ab.

Gut zu wissen

Bandscheiben

Gesunde Bandscheiben federn Stöße beim Gehen ab. Sie liegen wie puffernde Kissen zwischen den Wirbeln. Bei Bandscheibenproblemen erzeugt jeder Schritt bzw. jede „falsche Bewegung“ Schmerzen, da die Bandscheiben nicht mehr richtig an ihrem Platz sitzen und auf die benachbarten Nerven drücken.

Woran erkenne ich schwaches Bindegewebe?

- Häufiges Umknicken beim Gehen
- Neigung zu Leistenbruch
- Faltige, schlaffe Haut
- Häufige Rückenschmerzen
- Häufige Gelenkschmerzen
- Gelenkverschleiß (Arthrose)
- Achillessehnenbeschwerden
- Knochenhautentzündungen
- Neigung zu Cellulite

Um unser Bindegewebe nachhaltig zu kräftigen, sollten wir zweigleisig fahren: Eine Stärkung erreichen wir auf der einen Seite durch Bewegung, andererseits können wir das Bindegewebe durch eine gezielte Ernährung unterstützen.

Bewegung für den Rücken

Eine aufrechte Haltung signalisiert Selbstbewusstsein und Stärke, man sieht Ihrem Körper die Gesundheit an, Ihre gesamte Ausstrahlung verbessert sich automatisch. Je stabiler unsere Sehnen, Bänder und Knorpelstrukturen sind, umso besser kann auch unsere Haltung sein. Eine gute und stabile Körperhaltung benötigt darüber hinaus jedoch auch eine gut ausgebildete Muskulatur, die die Haltefunktion übernehmen kann. Tun Sie also etwas für Ihren Rücken, geben Sie ihm das Rüstzeug für eine gute Haltung. Ideale Bewegungsformen sind Schwimmen oder Wassergymnastik, denn dabei können die Muskeln schwerelos geschult werden, ohne die Wirbelsäule zu belasten.

Bewegung verbessert außerdem die Nährstoffversorgung Ihrer Sehnen, Bänder und Knorpel, da diese zum größten Teil durch Diffusion mit Nährstoffen versorgt werden. Das können Sie sich vorstellen wie an einem See, wo durch die Wellenbewegung Dinge ans Ufer gespült werden. Auf ähnliche Weise trägt die Bewegung die Nährstoffe zu Sehnen, Bändern und Knorpeln. Ein wunderbarer Nebeneffekt: Schwimmen wirkt gegen Cellulite, da durch den Widerstand des Wassers eine gute Massagewirkung erzielt wird.

Am besten Sie gehen mindestens einmal in der Woche zum Schwimmen; schon 20 Minuten haben einen tollen Effekt. Die meisten Bäder bieten mittlerweile übrigens Wassergymnastik in offenen Gruppen an.

▼ Schwimmen stärkt die Muskulatur.

Gezielte Nahrungsergänzung wirkt Wunder

Nahrungsergänzung bedeutet für uns nicht unbedingt gleich, zu einem Präparat zu greifen. Wir verstehen unter Nahrungsergänzung auch, dass wir unsere alltägliche Ernährung um bestimmte Lebensmittel bereichern. Im Folgenden stellen wir Ihnen die Substanzen vor, die unser Körper für ein gesundes, kräftiges Bindegewebe benötigt. Gleichzeitig erfahren Sie auch, in welchen Lebensmitteln diese Substanzen zu finden sind. Es mögen sich darunter Nahrungsmittel befinden, die in Ihrem Speiseplan bisher keine Rolle gespielt haben. Das sollte Sie aber nicht abschrecken: Gehen Sie neue Wege und integrieren Sie diese Lebensmittel mit hoher Nährstoffdichte in Ihre Alltagsernährung.

Bei manchen Substanzen werden wir jedoch um eine Nahrungsergänzung in Form eines Präparates nicht herumkommen. Zum einen, weil diese Substanzen nur in geringer Konzentration in Lebensmitteln vorkommen; zum anderen, weil wir – um eine bestimmte Wirkung zu erzielen – mehr davon brauchen, als wir über die normale Ernährung aufnehmen können. So ist es ja z. B. auch, wenn wir mit Vitamin C eine Erkältung auskurieren wollen.

Kieselsäure – der Chef im Netzwerk

Der wichtigste Nährstoff für ein starkes Bindegewebe, und damit für ein stabiles inneres Gerüst, ist die Kieselsäure. Sie enthält als zentralen Bestandteil Silizium, welches die körpereigene Bildung und Vernetzung von kollagenen Fasern fördert. Und je mehr kollagene Fasern wir in unseren Sehnen, Bändern und Bandscheiben haben, desto stabiler wird diese Bindegewebsstruktur. Sie können sich diese kollagenen Fasern vorstellen wie die Streben eines Schirms; je mehr elastische Streben ein Schirm hat, umso stabiler ist er und umso weniger besteht die Gefahr des Umstülpens, wenn ein ordentlicher Windstoß kommt. Die kollagenen Fasern sind die stützenden und verbindenden Streben im Bindegewebe. Sie sorgen für ein stabiles Netzwerk. Kieselsäure (Silizium) ist somit der Chef stabiler Netzwerke und sorgt für haltbare Verbindungen. Stabile Netzwerke

▲ Mit Linsen können wir kollagenbildende Aminosäuren zu uns nehmen.

sind belastbar, da der Informationsaustausch bzw. der Nährstofftransport innerhalb des Netzwerks gesichert ist.

Helfer im Netzwerk – kollagenbildende Aminosäuren

Der Chef ist aber nur so gut wie seine Mannschaft – das gilt auch für die Kieselsäure innerhalb der Netzwerke. Wie im Berufsleben auch, können wir diesem Chef seine Aufgabe erleichtern, indem wir ihm motivierte Helfer zur Seite stellen. Wie schon gesagt, die Kieselsäure vernetzt kollagene Fasern – und je mehr kollagene Fasern vorhanden sind, umso stärker wird das Netz. Was also liegt näher, als dem Körper kollagenbildende Aminosäuren zuzuführen und so mehr Material für die Netze zur Verfügung zu stellen?

Keine Angst, jetzt brauchen wir keinen Aminosäuren-Cocktail aus der Apotheke. Die kollagenbildenden Aminosäuren (Prolin, Glycin, Lysin, Arginin und Cystein) sind in Gelatine, Hülsenfrüchten (Linsen, Erbsen, Soja), Weizenkeimen, Produkten mit Molkeneiweiß und in Haferflocken enthalten. Auch Milchprodukte, Rindfleisch und Eier liefern die benötigten Aminosäuren. Wichtig ist, dass Sie jetzt nicht nur auf Käse und Milch zurückgreifen. Versuchen Sie, möglichst viele verschiedene Lebensmittel aus den oben genannten in Ihren Speiseplan zu integrieren, damit Sie auch alle diese Aminosäuren aufnehmen. Jede entfaltet nämlich eine leicht andere Wirkung im Körper.

Mein-Tipp

Kombinieren Sie Gelatine mit einem Ackerschachtelhalm-Konzentrat. Im Spitzensport haben wir damit bei schwachen Bindegewebsstrukturen sehr gute Erfahrungen gemacht. Die empfohlene Tagesdosierung: 1 TL Ackerschachtelhalm-Konzentrat und 10 g Gelatine (z. B. in Form eines Gelatine-Drinks).

Kieselsäure sorgt für Schönheit von innen

Hauptbestandteil von Haut, Haaren und Nägeln ist der siliziumhaltige Bindegewebsnährstoff Kieselsäure. Nur bei einer ausreichenden Siliziumversorgung haben wir eine gesunde, straffe Haut, stabile Fingernägel und kräftiges, glänzendes Haar. Untersuchungen haben ergeben, dass bei schuppiger und trockener Haut der Kieselsäuregehalt in der Haut geringer ist als im Bevölkerungsdurchschnitt.

Dem Kalk keine Chance

Der Zustand unseres Bindegewebes entscheidet über unser biologisches Alter.

Unsere Blutgefäße sind ausgekleidet mit einer elastischen Bindegewebshülle. Der Kieselsäuregehalt dieser Bindegewebshülle ist verantwortlich für die Elastizität unserer Blutgefäße: Je weniger Kieselsäure vorhanden ist, umso unbeweglicher und spröder werden unsere Blutgefäße. Mit zunehmendem Alter nimmt der Kieselsäuregehalt in den Bindegewebshüllen der Blutgefäße ab. Infolgedessen können sich vermehrt Kalkkristalle ablagern, und das Arteriosklerose-Risiko sowie das Risiko für einen Herzinfarkt steigt.

Warum kieselsäurereiche Ernährung so wichtig ist

- Sie erhöht die Belastbarkeit von Sehnen, Bändern und Knorpeln.
- Sie kräftigt die Haar- und Nagelstruktur.
- Sie hält die Blutgefäße elastisch.
- Sie erhöht die Wund- und Knochenheilung.
- Sie transportiert Kalzium in die Knochen und stärkt so den Knochenbau.
- Sie beugt Krebserkrankungen vor.

Wie komme ich an Kieselsäure?

Ackerschachtelhalm spielt eine wichtige Rolle bei der Versorgung mit Kieselsäure, da er die mit Abstand kieselsäurereichste Pflanze ist. Er zählt zu den Urlandpflanzen, da er schon seit 300 Millionen Jahren die Erde besiedelt. Der sehr elastische und biegsame Ackerschachtelhalm enthält im Trockengewicht bis zu 10 % gut verwertbare Kieselsäure. Alle, die ihr Bindegewebe kräftigen möchten, sollten täglich einen Liter Ackerschachtelhalm-Tee trinken oder sich ein Ackerschachtelhalm-Konzentrat besorgen (Bezugsquellen siehe Anhang).

Während der Körper die wasserlösliche Kieselsäure aus dem Ackerschachtelhalm zu fast 100 % verwerten kann, kann er mineralische Kieselsäure aus Kieselerdepräparaten (weißes Pulvers) kaum aufnehmen. Diese Präparate werden zu weniger als 1 % verwertet, deshalb braucht man eine große Menge des Pulvers, um wenigstens eine geringe Wirkung auf das Bindegewebe zu erzielen. Die mineralischen Pulver mögen für viele (z. B. kosmetische) Zwecke herangezogen werden, zur Verbesserung der Versorgung mit Silizium sind sie nur sehr bedingt geeignet. Achten Sie beim Kauf von Kieselsäurepräparaten auf pflanzliche Kieselsäure, die wasserlöslich ist (z. B. Ackerschachtelhalm-Konzentrat auf Wasserbasis), nur diese Präparate haben eine sehr hohe biologische Verfügbarkeit.

Gut zu wissen

Ackerschachtelhalm-Tee

Damit viel Kieselsäure aus dem Ackerschachtelhalm gelöst wird, sollte er möglichst lange ausgekocht werden. Nehmen Sie 100 g frischen Ackerschachtelhalm auf einen Liter Wasser. Lassen Sie die Mischung mindestens 30–60 Minuten leicht köcheln. Anschließend sollte der Tee noch etwa 12 Stunden ziehen. Danach gießen Sie den Sud durch ein Sieb und trinken den Tee.

Mein-Tipp

Bringen Sie neben Ackerschachtelhalm oder Brennnessel (als Tee oder Konzentrat) jeden Tag mindestens ein Lebensmittel auf den Tisch, das reich an Kieselsäure ist.

Kieselsäurereiche Nahrungsmittel

- Ackerschachtelhalm-Konzentrat oder -Tee
- Brennnessel-Tee
- Haferflocken
- Gerste
- Vollkornreis
- Hirse
- Kartoffelschalen

Nahrungsergänzung mit kieselsäurereichen Lebensmitteln

- Achten Sie auf Qualität: Kaufen Sie Bio-Kartoffeln, dann können Sie Pellkartoffeln oder Ofenkartoffeln mit der Schale verzehren. In der Schale steckt eine große Portion Kieselsäure.
- Streuen Sie morgens ein paar Haferflocken über einen Obstsalat, die versorgen Ihr Bindegewebe mit der Extraportion Kieselsäure.
- Verwenden Sie einmal pro Woche Vollkorn-Naturreis; im hellen, geschälten Reis steckt leider keine Kieselsäure mehr.
- Bier (es darf auch alkoholfrei sein) im richtigen Maß hat positive Auswirkungen, da in der Gerste Kieselsäure enthalten ist, welche Ihnen dann in flüssiger Form zur Verfügung steht.

Glucosamin und Vitamin C

In den Zwischenräumen der Netzstruktur befindet sich bei gesunden Bindegewebsstrukturen eine Füllmasse, die Grundsubstanz. Sie transportiert z. B. Nährstoffe zum Gewebe hin und Stoffwechselabbauprodukte wieder weg. Außerdem wirkt sie wie ein Polster gegen Druck und Aufprall in den Gelenken.

Darüber hinaus transportiert die Grundsubstanz Botenstoffe für die interne Kommunikation, dient als Speicher für Eiweiße und wirkt als Schmiermittel in den Gelenken. Sie sorgt für reibungslose, schmerzfreie Bewegungsabläufe und sollte deshalb gepflegt werden.

Die Grundsubstanz besteht zu einem Großteil aus der Zucker-Eiweiß-Verbindung Glucosamin, welche der Körper selbst herstellen kann, sofern er ausreichend Rohstoffe dafür zur Verfügung hat. Dazu benötigt er eine gute Vitamin-C-Versorgung. In der Grundsubstanz gibt es außerdem kettenartige Chondroitin-Moleküle. Sie verleihen dem Gelenkknorpel seine Struktur, sorgen für eine gute Wasserbindungskapazität und sichern dadurch den Nährstofftransport.

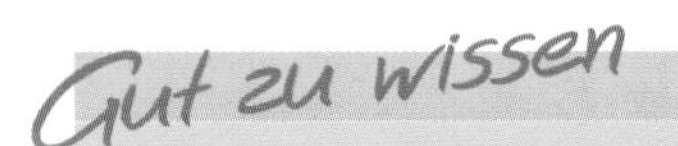

Arthrosebeschwerden lindern

Bei Arthroseproblemen ist über die körpereigene Produktion hinaus eine zusätzliche Nahrungsergänzung mit Glucosamin notwendig. Denn nur wenn der Körper aus dem Vollen schöpfen kann, kann er die geschwächte Grundsubstanz wieder aufbauen. Mehrere Untersuchungen konnten inzwischen zeigen, dass eine Nahrungsergänzung mit Glucosamin und Chondroitin innerhalb von 4–6 Wochen Schmerzen bei Arthrose deutlich lindern kann. Die notwendige Tagesdosis liegt bei je 1 Gramm.

Im Bereich der natürlichen Lebensmittel ist nur eine einzige Nahrungsergänzung aus der Neuseeländischen Grünlippmuschel in Kapselform bekannt. Sie ist in Reformhäusern und Drogeriemärkten erhältlich.

Zur Linderung von Arthrose:
Nehmen Sie 1 TL Ackerschachtelhalm-Konzentrat, 10 g Gelatine, 1 g Chondroitin, 1 g Glucosamin und 1 g Vitamin C, aufgeteilt in 3 Tagesdosen.

Cortison nur im Ausnahmefall
Cortison wird sehr häufig verschrieben und verabreicht, um Entzündungen im Gelenk schnell abklingen zu lassen. Es sollte uns bewusst sein, dass es sich dabei nur um die Behandlung des Symptoms handelt.

Das Cortison lässt zwar den Schmerz verschwinden, behindert jedoch gleichzeitig die Neubildung der Grundsubstanz im Gelenk, die für die Regeneration und den Heilungsprozess dringend nötig ist.

Mangan und Kupfer stärken die Rohstoffbasis

Für die Herstellung von kollagenen Fasern braucht der Körper außer den kollagenbildenden Aminosäuren und der Kieselsäure auch noch die Spurenelemente Mangan und Kupfer. Genauer gesagt, muss das Enzym, das für die Bildung der kollagenen Fasern zuständig ist, ausreichend mit Mangan und Kupfer versorgt werden.

Auch das Enzym Superoxiddismutase, das die Körperzellen vor vorzeitiger Alterung schützt und das Immunsystem stärkt, kann nur optimal arbeiten, wenn über die Nahrung genügend Zink, Kupfer und Mangan aufgenommen werden. Wollen wir unser Bindegewebe kräftigen, benötigen wir besonders mangan- und kupferhaltige Lebensmittel.

Gut zu wissen

Die Teufelskralle

In Südafrika kennt man die Pflanze schon lange und verwendet die knollenartigen Seitentriebe der Teufelskrallenwurzel gegen rheumatische Erkrankungen wie Arthritis und wegen der Bitterstoffe auch gegen Verdauungsstörungen.

Aufgrund der entzündungshemmenden und leicht schmerzstillenden Wirkung wird Teufelskralle besonders bei Schmerzen und Entzündungen der Gelenke und Bandscheiben, insbesondere im Bereich der Lendenwirbelsäule erfolgreich, eingesetzt.

Bei überlasteten Bindegewebsstrukturen ist eine vierwöchige Kur mit Teufelskrallen-Kapseln empfehlenswert. Teufelskralle ist eine gute Ergänzung zu Ackerschachtelhalm, Gelatine, Glucosamin und Vitamin C.

Die Manganaufnahme optimieren

Unsere Manganresorption schwankt zwischen 5 und 60 %. Hemmfaktoren sind Kalziumpräparate und Phosphate, wie sie beispielsweise in Cola-Getränken enthalten sind.

Wenn Sie den vollen Mangangehalt Ihres Vollkornbrots ausschöpfen wollen, wählen Sie ein Vollkornbrot mit Sauerteiganteil. Bei einer kalziumhaltigen Nahrungsergänzung sollten Sie darauf achten, dass mindestens drei Stunden zwischen Ihrer Mahlzeit und der Aufnahme des Präparates liegen. In der Zwischenzeit hat sich Ihr Körper das Mangan gesichert.

Eine manganreiche Ernährung ist besonders wichtig in Wachstumsphasen und der Schwangerschaft sowie bei der Neigung zu Krampfadern. Die empfohlene tägliche Zufuhr für ein stabiles Bindegewebe beträgt 10 mg, bei Kupfer 1,5 mg. Bringen Sie am besten dreimal pro Woche je ein kupfer- und ein manganreiches Lebensmittel auf den Tisch.

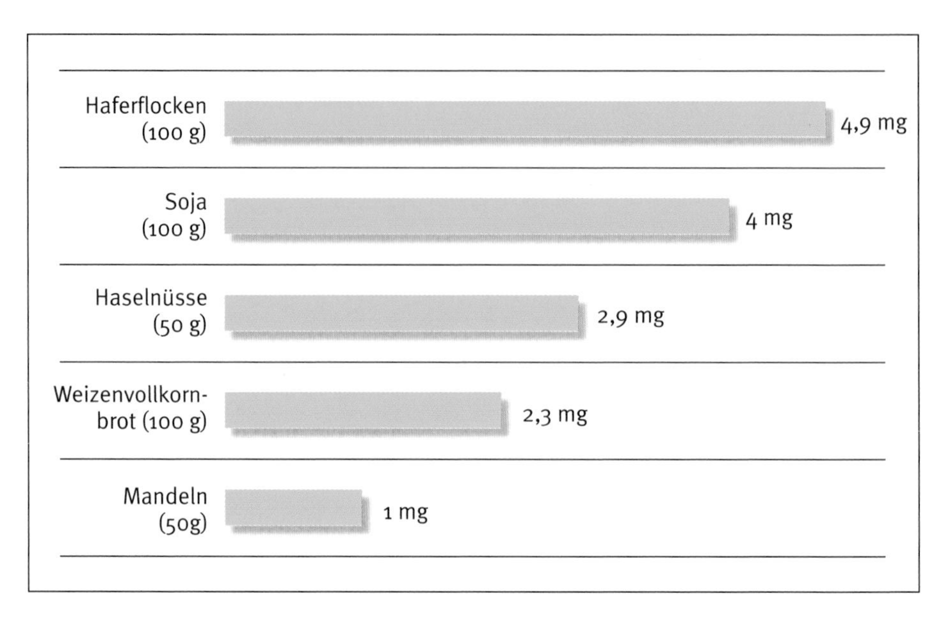

▲ Lebensmittel mit einem hohen Mangangehalt – Tagesempfehlung: 10 mg

Portwein, Sherry (50 ml)	10 mg
Austern (100 g)	2,5 mg
Linsen, Erbsen (100 g)	0,8 mg
Sonnenblumenkerne (25 g)	0,7 mg
Lamm, Huhn, Pute (100 g)	0,4 mg
Meeresfische (100g)	0,2 mg

▲ Lebensmittel mit hohem Kupfergehalt – Tagesempfehlung 3 mg. Beide Spurenelemente können in ausreichender Menge über die Ernährung aufgenommen werden.

Essen Sie Ihr Bindegewebe straff!

Die Bindegewebsfasern und die Grundsubstanz zwischen den Bindegewebsnetzen (Glucosamin) haben eine Lebensdauer von ca. 2–4 Tagen und müssen daher vom Körper ständig nachproduziert und neu verknüpft werden.

Starkes, funktionsfähiges Bindegewebsmaterial kann der Körper aber nur dann zusammenbauen und einlagern, wenn die Ernährung jeden Tag ausreichend Rohstoffe für die Produktion anliefert. Ist die Ernährung schlecht, also mineral-, spurenelement- und vitaminarm, kann der Körper nur minderwertiges Baumaterial zur Verfügung stellen. Und aus schlechtem Rohmaterial kann auch nur schwaches Bindegewebe aufgebaut werden.

Hier liegt Ihre Chance: Ein schwaches Bindegewebe kann man innerhalb weniger Tage durch eine vitalstoffreiche Ernährung kräftigen. Jeden Tag baut der Körper neue Strukturen auf. Stellen Sie noch heute Ihre Ernährung darauf ein, damit Ihr Körper schon morgen die richtigen, funktionsfähigen Bindegewebsbausteine zur Verfügung hat. Zu jeder Mahlzeit sollten ab sofort Obst, Gemüse und/oder Salat und eine Portion Kieselsäure gehören.

AUS DER PRAXIS

Quarkwickel gegen Schmerz und Entzündung

Die entzündungshemmende und schmerzlindernde Wirkung von Quarkwickeln ist aus der Naturheilkunde bekannt und beruht wahrscheinlich auf der Verbesserung der Bakterienflora der Haut. An der „Wickelstelle" häufen sich die gesunden Milchsäurebakterien, die die entzündungshemmenden Stoffe produzieren. Probieren Sie es doch einfach einmal aus: Nehmen Sie hierzu 2–3 EL Quark (Zimmertemperatur) und tragen Sie diesen fingerdick auf schmerzende Sehnen, Bänder und Gelenke auf. Mit einem feuchten Baumwoll- oder Leinentuch abdecken, ein trockenes Tuch als Zwischenlage darüberwickeln, den Abschluss bildet ein wärmendes Wolltuch oder auch ein dickes Frotteehandtuch. Nun lassen Sie das Ganze mehrere Stunden – am besten über Nacht – einwirken.

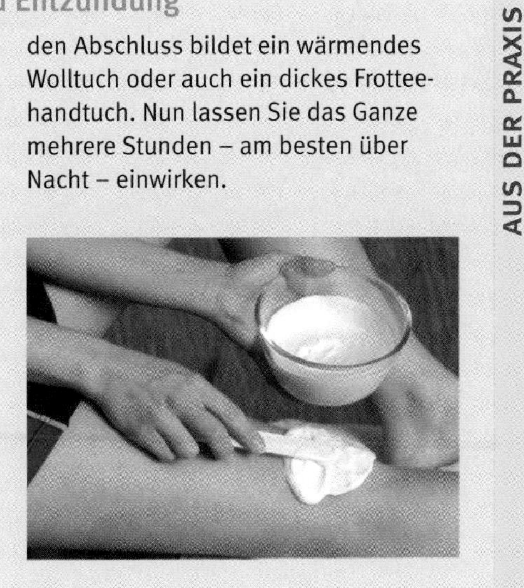

Das Bindegewebe

Das Bindegewebe ist eine Gerüstsubstanz, die in unterschiedlichen Formen den ganzen Körper durchzieht. Sie bildet ein Netzwerk, in dem Zellen, Blutgefäße, Nervenbahnen und alle übrigen Strukturen befestigt sind. Hauptbaustoff ist das Kollagen, ein faseriges Material. Sind die Fasern weitgehend in derselben Richtung angeordnet, entsteht eine sehnenartige Struktur mit hoher Zugfestigkeit. Liegen die Fasern scheinbar wahllos in alle Richtungen, entsteht das erwähnte Grundgerüst, das für den inneren Zusammenhalt des Körpers unerlässlich ist.

Wissen

Bindegewebszellen sind Alleskönner im menschlichen Körper. Aus ihnen können durch Umformung die verschiedenartigsten Zellen entstehen.

Das Bindegewebe ist auch Teil vieler anderer Gewebe im Körper, die dadurch Festigkeit erlangen. So z. B. in den Gelenken, den Blutgefäßen und Organkapseln. Deshalb können Systemerkrankungen des Bindegewebes mannigfaltige Symptome verursachen. Diese in der Regel auf immunologischen Fehlfunktionen beruhenden Krankheiten werden als „rheumatisch“ bezeichnet. Sie kommen mit zunehmendem Alter häufiger vor. In der Altersgruppe unter 45 Jahren rechnet man mit einer durchschnittlichen Häufigkeit von ca. 1,5 %, bei den 45- bis 64-Jährigen liegt der Anteil allerdings schon bei 15 %.

Erkrankungen des Bindegewebes

Die chronische Polyarthritis ist die meist verbreitete rheumatische Erkrankung, bei der die Gelenkschleimhaut eine Aktivierung des Immunsystems auslöst, die zu einer lokalen Entzündung führt. Der Patient spürt zunächst Glieder- und Gelenkschmerzen, Morgensteifigkeit, später dann Gelenkschwellungen, Rötung, Überwärmung. Im Spätstadium der Krankheit sind die Gelenke verdickt, schmerzhaft verformt und in erheblichem Maße funktionseingeschränkt. Es sind vor allem die kleinen Gelenke an Händen und Füßen, die betroffen sind, aber auch große Gelenke sind vor den Krankheitserscheinungen nicht sicher.

Weniger dramatisch ist eine Schwäche des Bindegewebes, sie tritt aber umso häufiger auf. Vorwiegend abhängig von der genetischen Disposition findet sich eine individuell unterschiedlich ausgeprägte Festigkeit der Bindegewebsstruktur. Menschen mit schwächerem Bindegewebe neigen zu so genannten Krampfadern (Varizen) der Beinvenen, zu Schwangerschaftsstreifen und überdehnbaren Gelenken.

Stärkung des Bindegewebes

Der genetischen Veranlagung kann man nicht entkommen, aber es lässt sich schon etwas tun für das Bindegewebe.

So stellt naturgemäß geringes Körpergewicht eine niedrigere Belastung dar als hohes. Und da hohes Körpergewicht auch

mit hohem Leibesumfang verbunden ist, wird die Dehnbarkeit des Bindegewebes in diesem Fall auf eine besonders harte Probe gestellt. Da übergewichtige Menschen sich in der Regel weniger bewegen als normalgewichtige, wird auch die Muskelpumpe in den Beinen weniger aktiviert. Dadurch nimmt die Belastung der Venenklappen zu, und die Entstehung von Krampfadern wird wahrscheinlicher.

Hoher Blutdruck belastet die Blutgefäße stärker als niedriger. Bei schwachem Bindegewebe kann es in Verbindung mit hohem Blutdruck zu Schwächungen der Gefäßwand in der Bauchaorta, der Körperschlagader, kommen. Diese als Aneurysma bezeichnete Krankheit kann man sich wie eine Ausstülpung vorstellen. Unbehandelt kann die Gefäßwand zerreißen, oder es können sich aufgrund des behinderten Blutstroms Gerinnsel (Thromben) bilden, die als Embolie Blutgefäße verstopfen können. Auch die Gelenke sind bei schwachem Bindegewebe gefährdet. Bekannt sind Menschen mit überdehnbaren Gelenken in bestimmten Sportarten wie Kunstturnen oder rhythmischer Sportgymnastik. Eine gut ausgebildete, kräftige Muskulatur kann die Führung der Gelenke verbessern und sie vor Überlastung schützen.

Für eine nachhaltige Stärkung des Bindegewebes sind also eine sinnvolle Ernährung und ausreichend Bewegung das A und O.

Bewegung – unverzichtbar für starkes Bindegewebe

Sie können über eine gezielte Ernährung enorm viel für Ihr Bindegewebe tun. Ohne Bewegung jedoch sind diese Maßnahmen nur ein Tropfen auf den heißen Stein.

Starkes Bindegewebe braucht Training. Sie erinnern sich, die Ernährung des Bindegewebes funktioniert zu einem großen Teil durch Diffusion (vgl. auch Seite 79). Und diese Art der Verteilung von Nährstoffen wird durch Bewegung deutlich verbessert. Hinzu kommt, dass sich Bindegewebsstrukturen sehr schnell abbauen, wenn sie nicht belastet werden. Nur zur Verdeutlichung: Bei einem eingegipsten Arm lässt die Belastbarkeit der Sehnen und Bänder innerhalb von nur vier Wochen um 80 % nach. Wird der Gips entfernt, müssen Sehnen und Muskeln komplett neu aufgebaut und trainiert werden.

Für uns heißt das: in Bewegung bleiben und das Bindegewebe immer wieder belasten.

▲ Machen Sie sich vor dem Training warm.

▲ Nach dem Lauf ist Stretching angesagt.

▲ Bewegung sorgt für die Verteilung der Nährstoffe im Körper und stärkt das Bindegewebe.

Elastase – das zerstörerische Enzym

Mit zunehmendem Alter büßt der Körper Leistungsfähigkeit ein, ab dem 50. Lebensjahr jedes Jahr um etwa 1 %. Schuld daran ist u. a. die Zunahme des Enzyms Elastase, welches Bindegewebsstrukturen abbaut. Ja, Sie haben richtig gelesen, es gibt in unserem Körper ein Enzym, das mit zunehmendem Alter vermehrt gebildet wird und das es auf unser Bindegewebe abgesehen hat.

Dieser Elastase können wir ein Schnippchen schlagen, indem wir uns besonders kieselsäurereich ernähren und uns ausgiebig bewegen.

Setzen Sie verstärkt mangan- und kupferreiche Lebensmittel (siehe Seite 86) auf den Speiseplan! Darüber hinaus kann auch Gelatine den Neuaufbau von Bindegewebe fördern.

Arthrose

Der Sammelbegriff „Arthrose" beschreibt chronische Gelenkerkrankungen. Es kann ein Gelenk betroffen sein oder auch eine Vielzahl, es kann eine Ursache erkennbar sein oder auch nicht. Im Frühstadium liegen oftmals keine Beschwerden vor, während in einem weit fortgeschrittenen Stadium, das Gelenk funktionsunfähig ist. Im Volksmund wird oft von Gelenkabnutzung oder Gelenkverschleiß gesprochen, und das trifft den Sachverhalt recht gut.

Die häufigsten Arthrosen sind eine Folge des Gebrauchs. Das Alter des Betroffenen, seine Lebensweise, sein Körpergewicht und in hohem Maße auch seine Veranlagung spielen eine bedeutende Rolle bei der Entstehung und dem Verlauf einer Arthrose. Es gibt aber auch viele Fälle, in denen sich eine Ursache nachweisen lässt. Typische Auslöser sind Unfälle mit Knochenbruch und/oder Bandverletzung, statische Probleme wie ausgeprägte Beinverkrümmungen (O- oder X-Beine) oder auch vorangegangene Gelenkinfektionen.

Was verändert sich?

Die Veränderungen, die sich an einem arthrotischen Gelenk einstellen, betreffen keineswegs nur die im Idealfall spiegelnd glatte, feste und doch elastische Knorpeloberfläche. Diese ist bei der Arthrose mehr oder weniger stark aufgeraut oder gar verschwunden, sodass Knochen auf Knochen reibt. Die Arthrose greift aber auch den darunter liegenden Knochen an. Durch die Verhärtung und Ausdünnung des Knorpels kann die Gelenkbelastung nicht mehr verteilt werden. Infolgedessen wird der Knochen selbst stärker belastet und verhärtet sich. Im weiteren Verlauf nimmt er eine fast elfenbeinartige Struktur an (Ebonisierung), was den Prozess der Abnutzung weiter beschleunigt. Durchblutung und Ernährung vermindern sich derart drastisch, dass regelrechte Höhlen im Knochen entstehen können. Zudem bilden sich Wülste um das Gelenk herum, daher ist ein von fortgeschrittener Arthrose betroffenes Gelenk dicker als ein gesundes.

Auf leisen Sohlen

Der Patient spürt von seiner Krankheit lange Zeit nur wenig. Vielleicht ist das Gelenk morgens etwas steif oder es schmerzt am Tag nach einer höheren, z. B. sportlichen Belastung etwas. Doch mit diesen Problemen lässt es sich meist eine ganze Weile passabel leben, zumal wir die modernen technischen Errungenschaften nutzen kön-

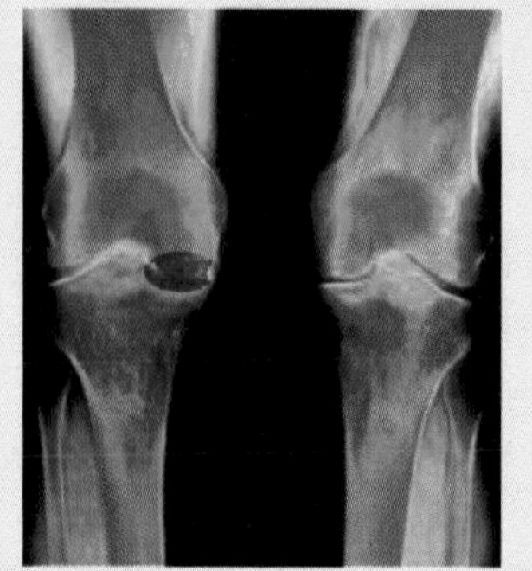

Die Röntgenaufnahme der Kniegelenke zeigt links einen arthritisch verkleinerten Gelenkspalt (rotes Oval). Rechts ist ein unverändertes Kniegelenk zu sehen.

nen. Wenn das Laufen beschwerlich wird, nehmen wir auch für kleine Strecken das Auto, parken direkt vor dem Getränkeshop und lassen die Wasserkästen vom Verkäufer in den Kofferraum hieven.

Das Fatale an diesem Verhalten liegt in den mittelbaren Folgen. Obwohl wir zunächst gut zurechtkommen, verliert das Gelenk seinen wichtigsten Lebensfaktor: die Bewegung. Die Muskulatur wird schwächer, die Durchblutung stabilisiert sich auf niedrigem Niveau und die Beweglichkeit lässt langsam nach.

Auch im Inneren des Gelenks fehlt die Bewegung, die die Konsistenz der Gelenkflüssigkeit beeinflusst und für die nötige Versorgung und Entsorgung im Rahmen des Knorpel- und Gelenkstoffwechsels sorgt. Die Funktionstüchtigkeit des Gelenks wird durch die Schonung immer weiter eingeschränkt. Nachfolgende Gewichtsprobleme und Kurzatmigkeit verstärken diesen Teufelskreis. Schonung wird zum Prinzip und führt schließlich zu Verfallserscheinungen.

Gegenmaßnahmen ergreifen

Was ist zu tun, wenn sich eine Arthrose ankündigt? Auf keinen Fall sollte der Weg des kontinuierlichen Rückzugs gewählt werden – er endet vermutlich mit einem Gelenkersatz. Fast 200.000 Deutsche erhalten jährlich ein künstliches Hüftgelenk, fast 80.000 ein neues Kniegelenk. Im Frühstadium kann dem durch sanfte, regelmäßige Bewegung vorgebeugt werden. Gehen, Schwimmen, Radfahren, Nordic Walking, Aqua-Jogging, Skilanglauf, Jogging oder Gymnastik sind bewährte Möglichkeiten, die Gelenkfunktion zu erhalten und einen Verschleiß wenigstens hinauszuschieben. Zudem reagiert ein angegriffenes Gelenk positiv auf äußere Einflüsse wie Wärme: Sauna, Bäder, Packungen, Bestrahlungen, oft reicht allein schon warme Kleidung.

Beugen Sie bewusst vor

Und wie lässt sich die Arthrose verhindern? Die Lebensweise, also der Umgang mit den Gelenken, spielt die Hauptrolle, wobei die Bedeutung des Körpergewichts nicht zu unterschätzen ist. Je schwerer der Mensch, desto höher die Druckbelastung auf die Gelenke an Hüften, Beinen, Füßen und der Wirbelsäule.

Viel abwechslungsreiche Bewegung schafft Entlastung, aktiviert den Stoffwechsel und schützt die Gelenke. Allerdings sollten Belastungsgrenzen nicht überschritten werden, was bei vielen beliebten Sportarten allerdings fast unvermeidlich ist: Fußball, Handball, Eishockey, aber auch Hallentennis und Squash können Gelenken schaden. Jede kleinere und auf jeden Fall jede schwere Verletzung hinterlässt ihre Spuren – wie oft kommt es beim Fußball zu so genannten Mikrotraumen durch Stolpern, Umknicken oder Zusammenstoß. Für Übergewichtige ist z. B. Walken besser als Laufen, ein Mensch mit gut ausgeprägter Muskulatur kann aber durchaus joggen.

Der Muskulatur kommt eine wesentliche gelenkschonende Rolle zu – vor allem im Wachstumsalter. „Muskulatur wirkt wachstumslenkend", lautet ein wichtiger Leitsatz. Kinder, die sich ausreichend bewegen, entwickeln eine gute Muskulatur und dadurch auch einen guten Knochenbau. Im Erwachsenenalter wirkt die Muskulatur als schützende Manschette für unsere Gelenke und als stützendes Korsett für unseren Rücken.

Wissen allein reicht nicht – auf die Motivation kommt es an!

Sie haben bis jetzt viel gelesen, sich ein gutes Basiswissen angeeignet und sicherlich auch einige persönliche Aha-Erlebnisse gehabt. Vielleicht haben Sie gemütlich auf dem Sofa gelegen und des Öfteren gedacht: „Ja, gute Idee, das könnte ich machen." Haben Sie sich die Ideen, die Sie in die Tat umsetzen wollen, aufgeschrieben? Haben Sie einen Entschluss gefasst, wann genau und wie genau Sie es angehen wollen? – Nein?

Dann ist jetzt der geeignete Augenblick. Bei dem bekannten amerikanischen Motivationstrainer Anthony Robbins haben wir eine sehr effektive Technik gelernt, die es uns erleichtert, zu planen und diese Pläne dann auch umzusetzen. Grundlage der Methode ist das Wissen, dass jeder Mensch bestimmte Gründe hat, etwas zu tun. Diese Gründe treiben ihn an und geben ihm die Kraft und Motivation, an einer Sache dranzubleiben.

Die ZiWaWe-Technik

Diese Technik hat Anthony Robbins RPM (Result – Purpose – Massive Action) genannt. „Result" bezeichnet das Ziel oder das Ergebnis, „Purpose" den Grund und „Massive Action" steht für die dazu notwendigen Handlungen. Auf Deutsch könnte man die Technik ZiWaWe nennen, wobei Zi für Ziel, Wa für Warum, also für die Gründe, und We für den Weg dahin, also für die zu ergreifenden Maßnahmen steht.

Die Botschaft ist einfach: Wer ein Ziel hat und weiß, warum er es erreichen will, findet einen Weg dahin und gibt nicht auf.

Es kommt also in erster Linie darauf an, sich ganz klar darüber zu werden, warum man etwas erreichen möchte. Denn dieses „Warum" stellt die treibende Kraft dar. Je emotionaler wir uns dieses „Warum" ausmalen, umso stärker wird unsere Motivation.

In drei Schritten zum Erfolg

Schritt 1 – Was will ich?

Zuerst überlegen Sie sich genau, was Sie erreichen möchten. Sie bestimmen also Ihr Ziel. Stellen Sie sich den Endzustand ganz genau vor. Wie fühlen Sie sich, wenn Sie das Ziel erreicht haben? Wie sehen Sie aus? Was sagen Sie zu sich, wenn Sie es geschafft haben? Was ist anders als heute, worüber freuen Sie sich?

Schritt 2 – Warum will ich es?

Jetzt überdenken Sie Ihr Ziel. Ist dies wirklich mein Ziel? Warum will ich dieses Ziel erreichen? Welche Vorteile habe ich, wenn ich dieses Ziel erreiche? Was bringt es mir, dieses Ziel zu verfolgen? Je emotionaler Sie Ihre Gründe ausformulieren, umso mehr Kraft werden sie Ihnen verleihen. Denn es sind die Emotionen, die uns antreiben.

Schritt 3 – Der Weg

Wenn Sie sich klar darüber sind, was Ihr Ziel ist und warum Sie es erreichen wollen, ist es ein Leichtes, sich zu überlegen, was wann zu tun ist, um ans Ziel zu kommen. Schreiben Sie die Maßnahmen, die Sie jetzt ergreifen werden, ganz genau auf. Probieren Sie es einfach aus. Die Grundvoraussetzung ist, schriftlich zu planen. Denn nur was schwarz auf weiß vorliegt, wirkt verbindlich und verpflichtet. Und genau das wollen wir ja erreichen. Wir wollen uns mehr Motivation verschaffen, um die Disziplin zu halten.

Nehmen Sie sich ein Blatt Papier und unterteilen Sie es in drei Spalten:
1) Ziel
2) Warum?
3) Weg

Tragen Sie Ihr Ziel ein, formulieren Sie aus, warum Sie dieses Ziel erreichen wollen, und entwerfen Sie einen Plan, mit dem Sie das formulierte Ziel auch wirklich erreichen. Diesen ZiWaWe-Plan legen Sie in Ihren Terminkalender oder an einen anderen Ort, wo Sie ihn täglich mindestens einmal sehen.

Sie können sich das Warum auch noch schön ausschmücken, indem Sie sich beispielsweise ein Logo der geplanten Tour aufkleben oder ein Bild von den Freunden, mit denen Sie unterwegs sein wollen.

Beispiel für einen ZiWaWe-Plan

Ziel	Warum?	Weg
Ich werde in 3 Monaten bei einer 5-stündigen Fahrradtour gut mithalten können.	Weil ich mit meiner Clique nach Karlsruhe radeln will, um bei der Tour de France zuzusehen. Was die können, schaffe ich auch.	Ab morgen fahre ich jeden Tag mit dem Rad ins Büro. Ich laufe dreimal pro Woche eine halbe Stunde. Ich kaufe mir eine Radhose. Ich lasse mein Rad generalüberholen.

Coach 4

ERNÄHRUNGS-TUNING

In den vorangegangenen Kapiteln haben Sie viel darüber erfahren, wie Sie Ihren Darm, Ihren Stoffwechsel und Ihr Bindegewebe tunen können. Durch eine generelle Verbesserung der Grundlagenernährung wird diesen Maßnahmen aber erst die optimale Basis geboten. Wenn alles gut aufeinander abgestimmt ist, wird Ihnen ein Maximum an Energie zur Verfügung stehen. Sie sind auf dem Weg, das Beste aus sich zu machen!

Esskultur für mehr Genuss

Es ist heutzutage weit verbreitet, nebenbei zu essen: auf dem Weg zur Arbeit, im Auto oder in der U-Bahn, zu jeder Tages- und Nachtzeit, wo immer wir gehen und stehen, was immer uns gerade über den Weg läuft. Wir lesen beim Essen in der Zeitung, schauen Fernsehen, telefonieren oder arbeiten am Computer. Diese Verhaltensweisen führen dazu, dass wir den Überblick verlieren über das, was wir zu uns genommen haben. Oftmals essen wir in diesen Situationen auch zu schnell und ohne Genuss, sodass das natürliche Sättigungsgefühl gar keine Chance hat, uns rechtzeitig vor weiteren Kalorien zu warnen.

▲ Wir essen viel zu oft nebenbei.

Tendenziell enthalten alle Fastfood-Mahlzeiten – Hamburger, Sandwiches, Döner, Bratwurst mit Pommes oder die Pizza auf der Hand – zu viel gesättigte Fette und leere Kohlenhydrate. Mit diesen Mahlzeiten nehmen wir kleine Kalorienbomben auf, das Sättigungsgefühl hält aber nicht lange vor.

Wenn Sie ernsthaft vorhaben abzunehmen, liegt in Ihrer Esskultur ein dankbares Optimierungsfeld.

Das Wie macht den Unterschied

Machen Sie Ihre Mahlzeiten immer zu etwas Besonderem: Wehren Sie sich gegen die Fastfood-Unkultur. Nehmen Sie sich Zeit und decken Sie, auch wenn Sie alleine sind, schön den Tisch. Sie sollten es sich wert sein! Eine Kerze, ein schöner Teller, eine Blume, ein frisches Tischtuch, eine Serviette, ein besonderes Glas, Ihre Lieblingstasse, und schon verändert sich die Atmosphäre. Auch Butter, Wurst und Käse wirken liebevoll auf einem Teller platziert appetitlicher als

AUS DER PRAXIS

Trainieren Sie Ihr Sättigungsgefühl

Ihr natürliches Sättigungsgefühl funktioniert derzeit nicht mehr so richtig? Vielleicht haben Sie zu oft seine Warnungen überhört, sodass es sich jetzt einfach nicht mehr sicher fühlt?

Sie können Ihr Sättigungsgefühl jedoch wieder trainieren. Nehmen Sie sich einen relativ kleinen Teller und richten Sie sich eine normale Portion darauf liebevoll an. Für das Auge sieht es nun wirklich reichlich aus, sodass von dieser Seite kein Signal „das ist aber wenig" zu erwarten ist. Wenn Sie alleine sind, packen Sie alle anderen Lebensmittel wieder weg, wenn Sie Familie haben, brauchen Sie einfach etwas mehr Disziplin, aber es funktioniert trotzdem.

Jetzt essen Sie langsam und genüsslich. Wenn Ihr Teller leer ist und Sie noch Hunger verspüren, sehen Sie auf die Uhr und lassen 10 Minuten vergehen. Sie werden sehen, in der Regel haben Sie nach 10 Minuten keine Lust mehr, sich den Teller nochmals zu füllen.

in zerknülltem Wachspapier. Richten Sie das Brot in einem schönen Brotkörbchen an, und wenn Sie Lust haben, sorgen Sie für etwas musikalische Untermalung. Ihrer Fantasie sind keine Grenzen gesetzt; schaffen Sie sich ein angenehmes Ambiente und genießen Sie Ihr Essen in aller Ruhe. Essen Sie langsam, und geben Sie Ihrem natürlichen Sättigungsgefühl eine Chance.

Feste Essenszeiten – Pro und Kontra

Immer wieder stellt sich die Frage: „Ist es sinnvoll, feste Essenszeiten einzuplanen, oder ist es nicht viel ‚natürlicher', dann zu essen, wenn wir richtig Hunger verspüren?"

Feste Essenszeiten bringen gegenüber Spontanmahlzeiten zumindest für die drei Hauptmahlzeiten erhebliche Vorteile mit sich. In einer Familie oder Gemeinschaft haben sie eine wichtige soziale Funktion, in Gesellschaft schmeckt es einfach besser, man redet miteinander und stillt so neben dem Hunger noch weitere existenzielle Bedürfnisse.

Für eine Gemeinschaft wird in der Regel hochwertiger gekocht. Eine Einzelperson öffnet gerne schon mal einfach die Kühlschranktür und greift zu einem Joghurt oder einem Stück Käse. Das macht natürlich nicht richtig satt, also folgt noch etwas Obst, ein paar Kekse und vielleicht ein Stück Schokolade. Richtig gegessen wird so nicht. Außerdem isst man alleine oft zu schnell.

▲ In der Gemeinschaft schmeckt es besser.

Mein-Tipp

Verteilen Sie Kochtage: Jedes Familienmitglied übernimmt einen Tag. Derjenige, der kocht, bestimmt, was es gibt. Und niemand darf am Essen herummäkeln. Das gibt Ihnen Zeit, kurz vor dem Essen noch eine Runde zu laufen oder etwas abzuschalten und dann nur noch zu genießen.

Neuere Untersuchungen zeigen, dass Menschen, die nicht frühstücken, tendenziell eher zu Übergewicht neigen. Erklärt wird das damit, dass der Stoffwechsel durch die fehlende Mahlzeit nicht richtig in Schwung kommt und zudem gegen Mittag ein Heißhunger auftritt, sodass die morgens eingesparten Kalorien (zum Teil unkontrolliert) nachgelegt werden. Besser Sie bringen morgens mit einem guten Frühstück Ihren Stoffwechsel auf Touren – dann brauchen Sie auch mittags nicht so viel.

Das Abendessen sollte am frühen Abend stattfinden, so gegen 18 Uhr wäre ideal. Aber machen Sie sich keine Gedanken, wenn es in Ihrem Tagesablauf einfach um diese Uhrzeit nicht passt, dann setzen Sie sich lieber um 20 Uhr zu einem gemütlichen Abendessen zusammen, als um 18 Uhr schnell eine Mahlzeit hinunterzuschlingen. Bei einem späten Abendessen ist es sinnvoll, leichte Speisen zu wählen. Statt eines Rohkostsalates etwas gedünstetes Gemüse, statt der Wurstplatte eine Portion Nudeln mit Tomatensauce und zum Nachtisch nur etwas ganz Kleines (aber Feines).

AUS DER PRAXIS

Für Frühstücksmuffel

Wenn Sie frühmorgens nach dem Aufstehen noch keinen Hunger verspüren, trinken Sie zumindest eine Tasse Tee oder Kaffe, und nehmen Sie sich ein Müsli oder ein liebevoll belegtes Brot mit zur Arbeit. So gegen 9 Uhr bekommen Sie sicher Hunger, und auch dann können Sie natürlich noch frühstücken. So kombinieren Sie eine feste Mahlzeit mit Ihrem natürlichen Hungergefühl – Sie werden staunen, wie schnell sich Ihr Körper darauf einstellt.

Essgewohnheiten – eine Frage der Selbstdisziplin

Aus unserer langjährigen Erfahrung mit dem Thema Essverhalten wissen wir, dass Sie, liebe Leserin, lieber Leser, bereits sehr viel wissen. Vieles von dem, was Sie in diesem Buch vorfinden, ist Ihnen nicht wirklich neu.

Ich hatte diesbezüglich ein sehr aufschlussreiches Erlebnis. Mein Mann und ich waren unterwegs auf einer Seminarreise. Mein Mann war bereits im Seminarraum verschwunden, um seine Unterlagen und die Technik herzurichten, während ich mich unter die Teilnehmer mischte. Sie bedienten sich zu der Zeit gerade am Frühstücksbuffet. Da hörte ich ein Gespräch mit, das mich nachdenklich stimmte und noch sehr lange beschäftigte: Zwei Männer, beide etwas übergewichtig, luden sich die Frühstücksteller voll: Rührei, Speck, gebratene Würstchen und Weißbrotscheiben landeten in Mengen, die für Holzfäller ausgereicht hätten, auf den Tellern. Dann sagte der eine zum anderen: „Jetzt dürfen wir ja noch, nach dem Ernährungsvortrag ist aus die Maus."

▼ Vermeiden Sie unkontrolliertes Essen.

Diese kleine Episode hat mir klar gemacht: Es geht hier nicht ums Wissen allein. Die meisten Menschen wissen schon eine ganze Menge, wenden es aber im Alltag nicht konsequent an.

Was tun gegen unkontrolliertes Essen?

Haben Sie auch manchmal das Gefühl, dass Sie Ihre Essgelüste nicht kontrollieren können? Schauen wir uns ein typisches Beispiel an: Fast allen Menschen, die Kartoffel-Chips mögen, geht es ähnlich. Hat man die Tüte erst einmal aufgemacht, gibt es kein Halten mehr, bis alles aufgegessen ist. Je nach Tagesform gelingt es, erst gar nicht oder auch nur einmal zuzugreifen. Meist aber verschwindet im Nu eine Riesenportion Chips im Magen.

Machen Sie sich Situationen bewusst, in denen Ihr Essverhalten nicht zu Ihren Zielen passt. Wichtig dabei ist ein liebe-

Wer hat eigentlich Erfolg und warum?

Auf der Suche nach den Ursachen für inkonsequentes Essverhalten haben wir viele Menschen befragt und intensive Gespräche geführt. Dabei kristallierte sich heraus, dass es verschiedene Typen gibt.
Typ 1: Diese Personengruppe schafft es immer wieder, viel Gewicht zu verlieren, fällt aber leider nach Beendigung der Diät auch immer wieder auf ihr altes Gewicht zurück.
Typ 2: Ihnen gelingt es einfach nicht die überflüssigen 2 Kilo loszuwerden, und sie verstehen nicht warum.
Typ 3: Sie sind die Glücklichen, die einmal richtig abgenommen haben und ihr Wunschgewicht immer noch halten.

Typ 1, der Jo-Jo-Effekt: Sie nehmen sich für einen festen Zeitraum richtig zusammen und verzichten konsequent auf alle geliebten Leckereien. Von heute auf morgen wird das abendliche Gläschen Wein gestrichen, und kein „Dickmacher“ landet im Einkaufswagen. Diese Gruppe aktiviert eine enorme Willenskraft und ist sehr hart zu sich selbst. Sie versäumt es aber darüber, ihre Ernährungsgewohnheiten dauerhaft zu verändern. Wer nur auf den Willen setzt und nicht übt, mit den Verlockungen umzugehen, wird letztlich wenig Erfolg haben.

Typ 2, immer ein paar Kilo zu viel: Diese Gruppe versucht eigentlich immer und überall abzunehmen. Sie hat in der Regel kein richtig motivierendes Ziel und isst bei jeder Mahlzeit mehr, als sie sich vorgenommen hat. Anschließend plagt das schlechte Gewissen, sodass die Mahlzeiten, die ein Genuss sein sollten, im Nachhinein jedes Mal negativ besetzt werden.

Um die Lage erträglich zu gestalten, wird eine Schutztaktik aufgebaut: „Die zwei Kilo sind ja nicht so schlimm, sie stören mich einfach nur dann und wann. Und wenn ich andere so ansehe, ist meine Figur ja noch im Rahmen.“ Der Rahmen wird aber immer weiter gesteckt, als Vergleichspersonen dienen immer dickere Menschen.

Eine latente Unzufriedenheit ist die Folge, und sie ist keine gute Grundlage für eine nachhaltige Veränderung der Ernährungsgewohnheiten. Ein generell gestörtes Verhältnis zum Essen und Frustessen resultieren aus dieser Haltung. Auch diese Personengruppe kann ihr Ernährungsverhalten nicht umstellen, ihr fehlen die Selbstdisziplin und ein liebevoller Umgang mit sich selbst.

Typ 3, die Erfolgreichen: Diese Menschen haben es geschafft. Sie haben sich ein Ziel gesetzt und ihre Lebensgewohnheiten verändert. Sie haben gelernt, mit Selbstdisziplin, ohne sich zu kasteien, auf ihr Hungergefühl zu achten und mit den süßen oder salzigen Verlockungen umzugehen. Wenn sie mal über die Stränge schlagen, treten sie anschließend einfach kürzer.

Zusammenfassend kann man sagen, dass die Erfolgreichen wissen, was sie tun. Auch die anderen wissen sehr genau, warum es nicht klappt, sie haben jedoch keine Strategie für eine Verhaltensänderung.

voller Umgang mit sich selbst. Machen Sie sich doch Folgendes bewusst:

Es ist eine Herausforderung, den Chips zu widerstehen. Also halte ich mich eine Zeit lang zurück und greife erst zu, wenn nicht mehr viel da ist. Haben andere den Löwenanteil gegessen, bin ich fein raus. Wenn Sie keine „Helfer" haben, lassen Sie die Chipspackung in der Küche und füllen sich dort eine Portion ab, die Sie genießen. Haben Sie trotzdem über die Stränge geschlagen und die ganze Packung geleert, dann sollten Sie sich keinesfalls sagen, dass jetzt eh alles egal ist, und womöglich weiteressen.

Gut zu wissen

Tagtäglich eine Chance

Die Änderung des Essverhaltens kann jeden Tag mit jeder Mahlzeit neu begonnen werden. Es gibt nicht den einen großen Erfolg, sondern viele unzählige kleine, und genau die führen dauerhaft zum Wunschgewicht.

Auch Selbstbeschimpfungen sind der falsche Weg. Jetzt kommt es darauf an, aus dieser Situation zu lernen und sich bei der nächsten Versuchung gut zuzureden. Etwa so: „Komm, gestern hast du die Packung leer gemacht, heute könnten wir doch darauf verzichten, und morgen gibt's dann wieder welche." Die Art und Weise, wie wir mit uns selbst

▲ Erfolg hat, wer ein Ziel vor Augen hat.

reden, sagt viel aus darüber, wie sehr wir uns selbst lieben und akzeptieren. Vielleicht hilft es Ihnen, sich vorzustellen, Sie erziehen ein Kind, das Sie besonders lieben. Wie würden Sie ihm helfen, sich in der Welt der Verlockungen zu behaupten? Wie hätten Sie den größten Erfolg? Sicher nicht dadurch, dass Sie Ihrem Kind die Süßigkeiten entziehen und es beschimpfen, wenn es doch einmal der Versuchung nachgegeben hätte.

Schaffen Sie sich einen Ausgleich

Wenn es Sie nun besonders stört, dass Sie wieder unbeherrscht waren, können Sie mit sich verhandeln und dafür eine Einheit Bewegung einplanen. Das könnte sich dann so anhören: „Die Portion ist ja wohl etwas groß geraten – ist nicht so schlimm, gehen wir halt zum

Ausgleich eine Stunde stramm spazieren. Was, keine Lust? Komm, raff dich auf, denk dran, wie gut es sich hinterher immer anfühlt."

Um sich Disziplin anzugewöhnen, bedarf es eines guten Mittelwegs zwischen Konsequenz und Loslassen. Wenn Sie sich nicht zu etwas Bewegung aufraffen können, kann die Konsequenz nur sein, dass die nächste Mahlzeit sehr klein oder ganz ausfällt. Auch diesen Fall sollten Sie liebevoll mit sich selbst verhandeln. Etwa so: „Ok, ich akzeptiere jetzt meine Unlust, aber dafür verzichte ich heute aufs Abendessen. Ich will mein Gewicht halten und morgen stolz auf mich sein."

Seien Sie gut zu sich selbst!

Überprüfen Sie Ihr Verhältnis zu sich selbst. Wie reden Sie mit sich, wie sprechen Sie sich an? Ermutigen Sie sich, in Ihren Selbstgesprächen oder machen Sie sich nieder? Würden Sie so mit Ihrer Freundin oder Ihrem Partner reden? Wie sehen Sie sich im Spiegel? Schaut Ihnen da jemand entgegen, bei dem Sie immer nur die Schwachstellen sehen? Oder sagen Sie sich: „Wow, heute siehst du gut aus!", und lächeln sich entgegen? Wenn der Blick in den Spiegel in Ihnen den Wunsch weckt, ein paar Kilo abzunehmen, reden Sie sich gut zu: „Das schaffen wir schon, wenn wir heute wieder laufen gehen und beim Essen ein wenig aufpassen, dann sitzt die Lieblingshose in zwei Wochen wieder wie angegossen."

Motivieren Sie sich, haben Sie Verständnis für sich selbst, wenn etwas nicht so klappt, wie Sie es sich vorgestellt haben. Sie können jederzeit wieder einsteigen in Ihr Programm. Sie sind kein Versager, sondern ein liebenswerter Mensch!

In den folgenden Kapiteln, werden wir Ihnen immer wieder Tipps geben, wie Sie sich selbst in ganz konkreten Situationen in Disziplin üben, aber auch, wie Sie loslassen und so zu einem ausgewogenen Essverhalten finden können.

AUS DER PRAXIS

Übung zur Selbstliebe und Selbstachtung

Stellen Sie sich morgens vor den Spiegel, sehen Sie sich in die Augen und sagen zu sich: „Ich habe mich gern!" Zählen Sie auf, was Ihnen alles an sich gefällt.

Arbeiten Sie an einem guten Verhältnis zu sich selbst. Bringen Sie sich Achtung entgegen und sagen Sie zu sich selbst nur solche Dinge, die Sie auch zu einem guten Freund sagen würden. Wiederholen Sie diese Übung jeden Morgen. Sie werden sehen, bald freuen Sie sich auf den Blick in den Spiegel, und Tag für Tag wird Ihnen mehr Positives an sich selbst auffallen.

Mehr Energie – die richtige Wahl treffen

Natürlich kommt es nicht nur darauf an, wie wir essen und was das Essen für uns bedeutet. Es ist auch entscheidend, was wir in welcher Kombination zu uns nehmen. Im Folgenden erläutern wir Ihnen, welche Stoffe Sie aus welcher Nahrung ziehen können und welche Lebensmittel Sie nicht gleichzeitig essen sollten. Dabei informieren wir Sie auf dem neuesten Stand der Forschung und räumen mit einigen überkommenen Vorstellungen aus der Welt der Ernährungsphysiologie auf – damit Sie die richtige Wahl für mehr Energie treffen.

Die Kraft der Kohlenhydrate nutzen

Damit wir genügend Energie für einen aktiven Tag haben, brauchen wir gut gefüllte Kohlenhydratspeicher in Muskulatur und Leber. Kohlenhydrate aus Nudeln, Brot, Kartoffeln, Reis und Haferflocken führen aber nur zu prall gefüllten Kohlenhydratspeichern, wenn sie nicht isoliert aufgenommen werden. Damit die Kohlenhydrate auch in Muskulatur und Leber eingelagert werden können, brauchen wir genügend Kalium und ausreichend Chrom. Unsere Mahlzeiten sollten also immer gleichzeitig kohlenhydrat- und kalium- bzw. chromreich sein.

Zu den Kaliumspendern zählen Gemüse, Salat und Obst. Die wichtigsten Chromspender sind Sauerteig-Vollkornprodukte, Pilze, Edamer- und Gouda-Käse sowie Nüsse (siehe auch Seite 70–72). Entscheiden Sie selbst: Wenn Sie leistungsorientiert Sport treiben,

▼ Unsere Muskeln brauchen Kohlenhydrate.

liegt Ihr Schwerpunkt eher auf der Kohlenhydratseite, denn Sie brauchen viel Energie für Ihre arbeitende Muskulatur, sonst geht da bald nichts mehr. Liegt der Fokus Ihres sportlichen Engagements eher auf der Gewichtskontrolle, sollten die Kaliumportionen in Form von Salat, Gemüse und Obst dominieren.

Planen Sie Ihre Mahlzeiten!

Tanken Sie doch schon gleich beim Frühstück wertvolle Energie. Ganz gleich, was Sie frühstücken, gönnen Sie sich immer zwei Portionen Obst dazu. Eine Portion können Sie mit einem Glas Orangensaft bestreiten, die andere z. B. mit einem Apfel oder einer Banane.

Werten Sie Ihre Hauptmahlzeiten auf. Zu jeder Portion Nudeln, Kartoffeln oder Reis gehört immer eine Portion Salat, Gemüse oder Obst, um sie zu einer vollständigen Mahlzeit zu machen. Zu jedem Brot gehört ein Kaliumspender in Form von frischer Paprika, Gurke oder Tomate. Wenn Sie es lieber süß mögen, essen Sie eine Banane dazu.

Kennen Sie Bananenbrot? Belegen Sie einfach ein frisch getoastetes Vollkornbrot mit Bananenscheiben, und bestreichen Sie es eventuell noch mit Honig.

▼ Tomaten als Kaliumspender sind vielseitig verwendbar, auch auf einem Brot mit Rührei.

Gut zu wissen

Die Glyx-Diät bringt wenig Energie

Die Ernährung nach dem glykämischen Index, auch bekannt unter „Glyx-Diät" oder „Low-Carb-Diät", verzichtet weitgehend auf Energiebringer. Kohlenhydrate werden hier kaum eingesetzt, da diese – isoliert betrachtet – einen starken Blutzuckeranstieg bewirken.

Doch wer isst schon Reis, Nudeln, Kartoffeln oder Brot trocken, ohne irgendeine Beilage? Schon allein die Zugabe einer Sauce (egal ob eine leichte Tomatensauce oder eine Bratensauce) senkt den glykämischen Index der Kohlenhydratmischung wesentlich. Deshalb sind die glykämischen Indexwerte einzelner Lebensmittel für die Ernährungspraxis überhaupt nicht tauglich. Wenn wir unsere Kohlenhydrate mit einem großen Salat- oder Gemüseanteil kombinieren und auch Chromspender wie z. B. Vollkornbrot, Käse und Pilze Teil dieser Mahlzeit sind, dann haben wir keinen beachtenswerten Blutzucker- und Insulinanstieg.

Es ist aber auch Vorsicht geboten bei der Glyx-Diät, denn es dominieren Eiweiß und hochwertige pflanzliche Öle. Während der Verzehr der hochwertigen Öle sehr gesund ist, ist der hohe Eiweißanteil durch den Verzehr von Fleisch und Fisch umstritten. Ernährungsexperten erwarten durch den deutlich höheren Eiweißkonsum über mehrere Jahre gesehen einen Anstieg der Krebsrate.

Höhere Kapazität für Auf- und Umbau

Damit in unserem Körper sämtliche Stoffwechselvorgänge geregelt ablaufen können, benötigen wir Aminosäuren, die Bestandteile des Eiweißes. Insbesondere Sehnen, Bänder und Muskulatur brauchen für den Auf- und Umbau Eiweiß.

Anders als bei den Fetten gibt es bei den Eiweißen keine unterschiedlichen Qualitäten, zwischen denen wir uns entscheiden können. Vielmehr wird der Wert des Eiweißes für unseren Körper danach bestimmt, wie viel körpereigenes Eiweiß er aus der zugeführten Nahrung bilden kann. Diesen Zusammenhang bezeichnet der Begriff „biologische Eiweißwertigkeit".

Um unsere Eiweißversorgung sicherzustellen, brauchen wir also lediglich etwas auf die Nahrungsmittelkombinationen zu achten.

Die Grafik auf der nächsten Seite zeigt Ihnen Kombinationen, die eine besonders günstige biologische Eiweißwertigkeit haben.

Getreide mit Milchprodukten	Müsli mit Milch oder Joghurt Vollkornbrot mit Käse Nudeln mit Käse
Getreide mit Hülsenfrüchten	Bohnen mit Nudeln, Reis oder Kartoffeln Erbsen mit Nudeln, Reis oder Kartoffeln
Getreide mit Ei	Pfannkuchen Waffeln
Kartoffeln mit Ei oder Milchprodukten	Pellkartoffeln mit Quark oder Spiegelei Kartoffeln mit Käse

▲ Nahrungsmittelkombinationen mit günstiger biologischer Eiweißwertigkeit

Mein-Tipp

Wenn Sie sich für ein Bananenbrot zum Frühstück entschieden haben, wäre als Ergänzung ein Joghurt oder ein Glas Milch ideal.

Trennkost

Die Trennkost basiert auf der Grundannahme, dass sich die Energieträger Kohlenhydrate und Eiweiß im Magen-Darm-Trakt gegenseitig negativ beeinflussen. Deshalb empfiehlt der amerikanische Arzt Dr. Howard Hay in seinem Ernährungskonzept von 1933, die gleichzeitige Aufnahme von Kohlenhydraten und Eiweiß zu vermeiden. Die Hay'sche Theorie ist durch die Kenntnisse der modernen Ernährungsphysiologie so jedoch nicht mehr haltbar. Es gibt bisher keine wissenschaftliche Untersuchung, die einen Erfolg der Trennkost belegen kann. Der Magen-Darm-Trakt ist in der Lage, alle Nährstoffe zu verwerten, unabhängig davon, in welcher Reihenfolge und Kombination diese aufgenommen werden.

Ungeachtet dieser Tatsache beschäftigen sich die „Trennköstler" sehr viel mit ihrer Ernährung, essen insgesamt sehr ausgewogen und fettarm und erzielen deshalb nach dem Hay-Prinzip gute Erfolge.

Mehr Vitalität – Eisen sorgt für Sauerstoff

Fühlen Sie sich oft müde und schlapp? Können Sie sich nicht mehr oder nur sehr schwer zum Sport oder zu anderen Unternehmungen motivieren, obwohl Sie sich eigentlich schon darauf gefreut haben?

Vielleicht haben Sie sich zu viel zugemutet. Sie haben im Beruf viel zu tun gehabt, oder Ihre Freizeit war sehr turbulent, und Ihr Körper fordert jetzt eine ihm zustehende Ruhepause ein. Es kann aber auch sein, dass Sie zu wenig Eisen in Ihrem Körper haben. Vielleicht haben Sie, ohne es zu bemerken, Ihre Eisenspeicher geleert und nicht rechtzeitig wieder aufgefüllt?

▼ Müdigkeit kann Eisenmangel anzeigen.

Eisen ist Bestandteil des roten Blutfarbstoffs Hämoglobin. 70 % des Gesamtkörperbestandes an Eisen sind an das Hämoglobin und damit an die Blutkörperchen gebunden. Die roten Blutkörperchen transportieren den Sauerstoff über die Lunge zum Muskel und zum Körpergewebe, also in jede kleinste Zelle unseres Körpers. Wenn zu wenig Eisen aufgenommen wird oder zu große Eisenverluste auftreten (bei Frauen durch die Regelblutungen), transportiert unser Blut weniger Sauerstoff in die Lunge, folglich kann von hier aus auch weniger Sauerstoff zu den Körperzellen gelangen. Der Körper benötigt diesen Sauerstoff aber dringend zur Kohlenhydrat- und Fettverbrennung, also für die Bereitstellung von Energie.

Wenn Sie den Verdacht haben, dass Ihr Eisenspiegel zu niedrig ist, achten Sie auf folgende Symptome:
- Eingerissene Mundwinkel
- Störungen von Haar- und Nagelwachstum
- Müdigkeit
- Verminderte Leistungsfähigkeit und -bereitschaft
- Blässe

Gut zu wissen

Eisenwert im Blut

Die Eisenwerte im Blutserum sind wenig verlässliche Indikatoren für einen tatsächlichen Eisenmangel. Sie sinken nämlich erst, wenn die Eisenspeicher schon fast völlig entleert sind. Die Normalwerte für Eisen liegen bei 40 bis 150 µg/dl Blut. Ein wesentlich verlässlicherer Indikator für den Füllgrad unserer Eisenspeicher ist der Serum-Ferritin-Spiegel (so genanntes Speicherferritin). Dieser soll beim Mann zwischen 15 und 200 µg; bei der Frau zwischen 12 und 150 µg/dl Blut liegen.

Wenn Sie nicht ganz sicher sind, lassen Sie ein Blutbild machen und Ihre Eisenwerte bestimmen. Sagen Sie Ihrem Arzt vor der Blutabnahme, dass Sie das Serum-Ferritin bestimmt haben wollen. Die Bestimmung dieses Wertes ist leider immer noch nicht Standard.

So füllen Sie die Eisenspeicher

Ein Eisenmangel baut sich über Jahre hinweg auf und meist dauert es mehrere Monate, bis eine medikamentöse Eisentherapie Erfolge zeigt. Bitte nehmen Sie keine Eisenpräparate ein ohne Rücksprache mit Ihrem Hausarzt. Eisenpräparate haben einen nicht zu unterschätzenden Einfluss auf Ihren gesamten Mineralstoffhaushalt und sollten deshalb nur bei einem ärztlich festgestellten Mangel kontrolliert zugeführt werden.

Besser ist es, immer auf eine ausreichende Eisenaufnahme über die tägliche Ernährung zu achten, da Sie mit natürlichen Lebensmitteln nie zu viel Eisen zu sich nehmen können. Als vorbeugende Maßnahme sollten insbesondere Frauen auf eine eisenreiche Kost und die Spielregeln der Eisenaufnahme achten, sodass täglich etwa 15 mg Eisen aufgenommen werden können.

Wenn Sie sich besonders eisenreich ernähren wollen, ergänzen Sie z. B. Ihr Müsli um Amaranth, ein paar Haferflocken und auch einige Nüsse. Amaranth-Pops erhalten Sie im Bioladen oder Reformhaus. Ihre Saucen und Salatdressings können Sie mit Hefeflocken bereichern. Es geht darum, bei jeder Mahlzeit etwas für den Eisenhaushalt zu tun, also nicht eine große Portion am Tag aufzunehmen, sondern immer wieder kleine Portionen nachzulegen.

Tipps zum Auffüllen der Eisenspeicher

- Vitalitäts-Müsli: 2 EL Amaranth-Pops, 1 EL Weizenkeime und ein paar Nüsse unters Müsli mischen, etwas frisches Obst dazu essen oder ein Glas Orangensaft trinken.
- Vitalitäts-Salat: 2 EL Sonnenblumenkerne (evtl. geröstet) über den Salat streuen.

- Vitalitäts-Saucen: 1 EL Hefeflocken in alle Salat-, Braten- und Gemüsesaucen einstreuen. Hefeflocken bitte nicht mitkochen.
- Nehmen Sie zweimal pro Woche eine Portion Fleisch oder Fisch in den Speiseplan auf. Das hebt Ihren Eisenspiegel an.

Es ist eine Tatsache, dass das Eisen aus tierischen Produkten vom Körper wesentlich besser aufgenommen wird als das Eisen aus pflanzlichen Lebensmitteln. Wenn Sie auf Fisch und Fleisch ganz verzichten, vielleicht weil Sie sich vegetarisch ernähren, ist das an und für sich kein Problem. Nur sollten Sie dann besonders darauf achten, dass Ihre Ernährung möglichst eisenreich ist und Ihr Körper das aufgenommene Eisen auch verwerten kann.

Die Eisenaufnahme im Darm hängt nämlich nicht nur vom Eisengehalt der Nahrung ab. Durch die Kombination mit viel Vitamin C erhöht sich die Eisenverwertbarkeit entscheidend. Denn Vitamin C wandelt das Eisen von der dreiwertigen in die besser aufnehmbare zweiwertige Form um.

Klar können Sie das Vitamin C auch als Pulver (Präparat) zu sich nehmen, es hat dann auch die oben genannte Wirkung. Betrachten Sie dies jedoch als Nahrungsergänzung, also – wie der Name schon sagt – als Zusatz zu Ihrer vollwertigen Ernährung.

▼ Eisenanteil in Lebensmitteln – Tagesempfehlung: 14 mg

Amaranth (50 g)	7,5 mg
Quinoa (50 g)	5,5 mg
Sojaflocken (50 g)	4,5 mg
Hirse (50 g)	4,5 mg
Spinat (100 g)	4 mg
Vollkorn (100 g)	3 mg
Haferflocken (50 g)	3 mg
Weizenkeime (30 g)	2,4 mg
Karotten (100 g)	2 mg
Fleisch (100 g)	2 mg
Hefeflocken (100 g)	1,8 mg
Sonnenblumenkerne (20 g)	1,4 mg
Nüsse (20 g)	1,2 mg

So wie sich in einigen Lebensmitteln Stoffe befinden, die eine Eisenaufnahme begünstigen, gibt es aber auch Stoffe, die eine Resorption behindern. Es handelt sich hierbei um Phytinsäure, Phosphate und Gerbsäuren.

Die Vitalitätsräuber entwaffnen

Wie wir bereits erfahren haben, hemmt Phytinsäure die Aufnahme vieler Mineralstoffe und Spurenelemente (siehe Seite 68, 72), so auch die Aufnahme von Eisen. Phytinsäure kommt in allen Vollkornprodukten und in Hülsenfrüchten vor. Durch Fermentation, z. B. in einem Sauerteig, wird diese Phytinsäure aber fast vollständig abgebaut. Auch beim Keimen von Getreide oder bei längerem Einweichen mit Zitronensäure oder vitamin-C-reichen Säften wird sie abgebaut.

Sie sehen, wenn man um die Phytinsäure weiß, ist sie leicht zu umgehen: Bevorzugen Sie Vollkornbrote, die mit Sauerteig hergestellt werden, weichen Sie Vollkornflocken für Ihr Müsli vorher in vitamin-C-reichem Saft ein (3–4 Stunden bringen schon ein gutes Ergebnis).

Analog zur Phytinsäure hemmen auch Phosphate die Eisenaufnahme. Besonders phosphathaltig sind Cola-Getränke. Auch hier ist leicht Abhilfe zu schaffen: Trinken Sie solche Getränke nicht zeitgleich mit den Mahlzeiten. Geben Sie Ihrem Körper 2–3 Stunden Vorsprung für die Eisenverwertung, dann kann das Phosphat dem Eisen nichts mehr anhaben. Noch besser wäre es natürlich, auf Cola-Getränke ganz zu verzichten und hochwertigere natürliche Fruchtsaftschorlen zu trinken.

Unser dritter Eisenräuber ist die Gerbsäure. Sie ist in grünem und schwarzem Tee sowie in Kaffee und Rotwein enthalten. Diese Gerbsäure bindet das Eisen an sich, sodass der Körper es nicht mehr aufnehmen kann. Sie können aber trotzdem Kaffe oder Tee trinken, da bis zu einer Menge von 2–3 Tassen pro Tag dieser Effekt vernachlässigt werden kann.

Mein-Tipp

Keine Mahlzeit ohne Vitamin C: Ein Glas Orangensaft zum Frühstück, eine Orange oder 2 Kiwis als Nachtisch und Paprika sowie Fenchel im Salat versorgen Sie mit Vitamin C.

▼ Frische Orangen liefern Vitamin C.

▲ Schwarzer Tee stärkt die Abwehrkräfte.

Mein-Tipp

Lassen Sie schwarze und grüne Tees maximal 2 Minuten ziehen, dann haben diese keinen Einfluss auf die Eisenverwertung und wirken außerdem aufmunternd. Der Gerbsäuregehalt von Schwarz- und Grüntee steigt nämlich erst bei längerer Ziehdauer.

Sollte Ihr Eisenspiegel jedoch im Keller sein, legen Sie einfach eine längere Pause zwischen den Mahlzeiten und dem Genuss der oben genannten Getränke ein. So kann Ihr Körper seine Eisenration in Ruhe in Sicherheit bringen.

Gerbsäuren sind zwar Eisenräuber, haben aber auch positive Eigenschaften: Sie kämpfen gegen Viren und stärken so unsere Abwehrkräfte. Deshalb sollte man nicht ganz auf Kaffe und schwarzen bzw. grünen Tee verzichten.

Keimlinge, die potenzierte Kraft des Getreides

Die meisten Vitamine können im Körper nicht gespeichert werden, sondern müssen jeden Tag neu zugeführt werden. Nur auf diese Weise kann Ihr Körper gesund bleiben, und nur so können Sie die optimale Leistung vollbringen.

Unsere Alltagsernährung enthält leider immer weniger natürliche Vitamine, Mineralstoffe und Spurenelemente. Das liegt sowohl an der konventionellen Landwirtschaft als auch an den langen Lagerzeiten. Um trotzdem mit diesen wichtigen Vitalstoffen versorgt zu werden, sollten Sie sich hochwertige Vitalstoffspender gönnen. Damit steigern und erhalten Sie Ihre Gesundheit und Ihre Vitalität.

Ein Großteil unserer Nahrung sollte aus Getreide und Getreideprodukten bestehen, da uns Getreide Kohlenhydrate in Form von Stärke, gesunde Fettsäuren und hochwertiges Eiweiß liefert. Auch Vitamine, Mineralstoffe und Spurenelemente sind im Getreide vorhanden, es geht aber ein Großteil davon bei der Verarbeitung verloren. Dennoch gibt es eine Möglichkeit, Ihrem Körper das Maximum solcher Vitalstoffe aus dem Getreide zukommen zu lassen: Lassen Sie das Getreide keimen!

Wahre Vitaminwunder

Durch die Keimung entwickeln Getreide und Samen ihr volles Potenzial. In Vorbereitung auf Wachstum und Fruchtbarkeit entwickeln sie aus ihren Anlagen vielfache Mengen der wertvollen B-Vitamine, Niacin, Biotin und Folsäure, allesamt mitverantwortlich für die Gesundheit unserer Haut, Haare und Nägel, für unsere gesunde Ausstrahlung.

Wenn Sie immer wieder Keimlinge auf den Tisch bringen, beugen Sie Vitaminmangelerscheinungen vor. Wie sich die Vitaminbildung durch Keimung potenziert, zeigt Ihnen die rechts stehende Grafik am Beispiel des Weizens. Diese erstaunliche Vitaminbildung fällt aber bei allen Getreidesorten und Saaten ähnlich hoch aus. Sie haben also freie Auswahl, jeder Keimling ist unvergleichlich wertvoller als sein Samenkorn.

Mangel an	Auswirkungen
Vitamin B_1	Appetitlosigkeit, Schlaflosigkeit und Nervosität
Vitamin B_2	Läsionen (Einrisse) an Mundwinkeln und Augen, trockene und abschilfernde Haut
Vitamin B_6	Wachstumsstörung, Muskelschwund
Niacin	Appetitlosigkeit, Schwindel, Hauterkrankungen (Dermatitis)
Biotin	Schuppende, juckende Haut bei Kindern, verminderter Kaliumgehalt in der Muskulatur
Folsäure	Depressionen, Schleimhautveränderungen

Die Grafik bietet Ihnen eine vergleichende Darstellung des Vitamingehalts von 100 g Weizenweißmehl Typ 405 (grüner Balken) in Relation zu 100 g Weizenvollkornmehl (blauer Balken) und 100 g gekeimtem Weizen (gelber Balken). Wir sehen, dass durch den Keimprozess bis zu 50-mal mehr Vitamine bereitgestellt werden als in der gleichen Menge Weizenmehl. So beträgt der Folsäuregehalt in 100 g hellem Weizenmehl 10 µg, in Weizenvollkornmehl 50 µg und in der gleichen Menge Weizenkeimlinge 520 µg. Setzen Sie Keimlinge auf den Speiseplan, und Sie erreichen problemlos die empfohlene Tagesdosis von 400 µg Folsäure.

Zur Keimung geeignet sind verschiedene Getreide (Weizen, Dinkel, Hirse), Hülsenfrüchte (grüne Erbsen, Kichererbsen, Mungbohnen und Linsen), spezielle Keimsaaten (Rettich, Radieschen, Bockshornklee, Brokkoli und Alfalfa) oder Samen (Sonnenblumenkerne, Kürbiskerne, Sesam). Eine breite Palette hochwertiger, meist biologisch angebauter Saaten hält Ihr Reformhaus oder Ihr Bioladen für Sie bereit, hier berät man Sie auch fachkundig.

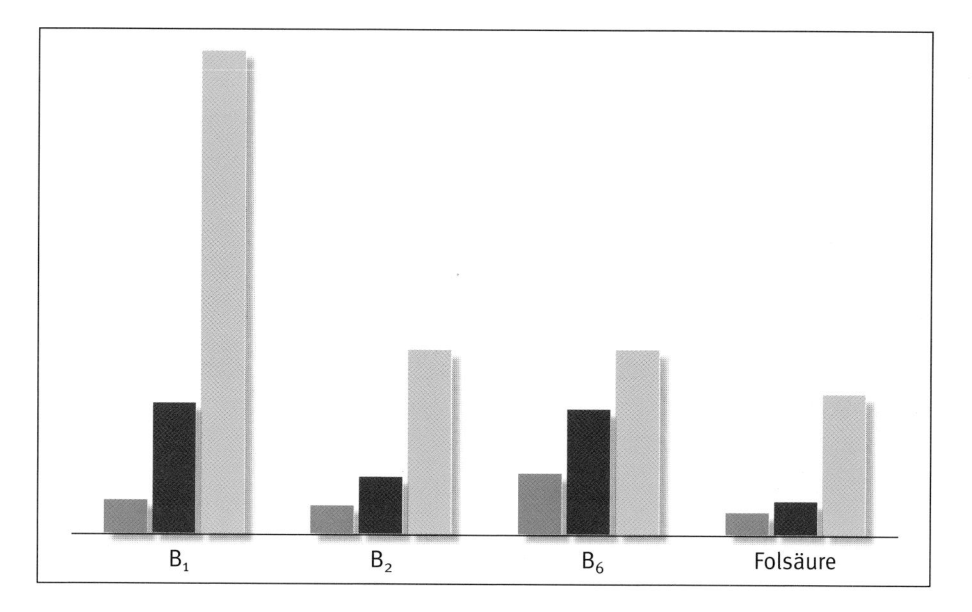

▲ Vergleichende Darstellung des Vitamingehalts von 100 g Weißmehl Typ 405 (grün) und Vollkornmehl (blau) im Verhältnis zu Weizenkeimlingen (gelb).

Probieren geht über Studieren

Keimgeräte sind zwar praktisch, aber Sie müssen sich nicht gleich eines kaufen. Probieren Sie doch erst einmal aus, ob Ihnen die Keimlinge auch schmecken. Dazu nehmen Sie ein großes Gurken- oder Marmeladenglas und stoßen einige Löcher in den Deckel. Anschließend geben Sie 1–2 EL Keimgut hinein und bedecken dieses mit Wasser. Nach etwa 10 Minuten drehen Sie das Glas um, sodass das überschüssige Wasser durch die Löcher im Deckel ablaufen kann. Wässern Sie Ihre Keimlinge täglich einmal auf diese Art. Je nachdem, was Sie keimen lassen, haben Sie nach 3–4 Tagen die ersten verzehrbereiten Keimlinge.

Mineralstoffe im Keim

Während der Keimung erhöht sich auch der Mineralstoffgehalt. Es bilden sich sogar Mineralstoffe, die im Ursprungskorn gar nicht vorhanden waren. Sie entstehen durch die Umwandlung der Phytinsäure, die wir schon als Hemmfaktor für die Aufnahme von Spurenelementen kennen gelernt haben.

Für unsere tägliche Ernährung bedeutet das, dass wir durch die Zugabe von Keimlingen die Nährstoffdichte unserer Mahlzeiten ohne großen Aufwand deutlich erhöhen können. Auch der Gehalt an Eisen, Zink, Kalzium, Magnesium, Phosphor und Kalium erhöht sich durch die Keimung um 200 bis 1000 %. Keimlinge sind also die Vitalitätsbringer Nummer eins.

Keimlinge sind sehr preiswert selbst herzustellen. Und ein großer Vorteil ist, dass sie auch von Menschen vertragen werden, die sonst Probleme mit Vollkornprodukten haben. Dem Einsatz von frischen Keimlingen auf unserem Speiseplan sind im Prinzip keine Grenzen gesetzt. Sie können Sie allen Salaten beigeben, sie verleihen aber auch Ihrem Kräuterquark eine feine Note und eignen sich sogar als Brotbelag.

Vorteile von Keimlingen im Überblick

- Während der Keimung vermehren sich die vorhandenen Vitamine um ein Vielfaches, Vitamin C bildet sich sogar neu!
- Durch die Keimung wird der Gehalt an Mineralien und Spurenelementen deutlich erhöht, der Mineralstoff Magnesium wird neu gebildet!
- Durch Keimung werden die Vitalstoffe besser ausgenutzt und verwertet, Schad- oder Hemmstoffe wie Phytinsäure werden abgebaut.
- Die Keimlinge optimieren das Fettsäuremuster: Im Korn enthaltene gesättigte Fette wandeln sich während der Keimung in essenzielle, ungesättigte Fettsäuren um.
- Die Eiweißversorgung wird verbessert: Der relative Eiweißgehalt erhöht sich während der Keimung, und die Qualität der Eiweiße nimmt zu.

▼ Salat bietet sich geradezu an, mit frischen Keimlingen bereichert zu werden.

Fette – Klasse statt Masse

Generell fettarme Ernährung zu empfehlen ist zu undifferenziert. Zum einen sind Fette in unserer Ernährung absolut notwendig, zum anderen gibt es in der Familie der Fette – was ihren Wert für unsere Ernährung angeht – qualitative Unterschiede. Wir brauchen Fette in der Ernährung, um die fettlöslichen Vitamine (A, D, E und K) aufnehmen zu können, um körpereigene Hormone zu bilden und die Zellmembranen zu stabilisieren. Außerdem gibt es Fettsäuren, welche der Körper dringend zur Hormonbildung benötigt, die aber von ihm selbst nicht hergestellt werden können (die so genannten essenziellen Fettsäuren). Das sind die mehrfach ungesättigten Fettsäuren Linolsäure und Linolensäure. Für uns stellt sich nun die Frage: Welche Fette sind unserer Vitalität in welchen Mengen zuträglich?

Im Moment liegt der Anteil der Fettkalorien an der Gesamtkalorienaufnahme beim Durchschnittsbürger bei etwa 40 %, und das ist deutlich zu hoch. Hier besteht ein Optimierungsbedarf. Für eine gesundheitsbewusste Ernährung sollte der Anteil an Fettkalorien auf etwa 30 %, für eine fitnessbewusste Ernährung sogar auf 25 % reduziert werden.

Strategien zur Fettreduktion

- Wählen Sie fettarme Zwischenmahlzeiten oder reduzieren Sie die Mengen.
- Erhöhen Sie den Obst- und Gemüseanteil Ihrer Nahrung deutlich.
- Benutzen Sie beschichtete Pfannen zum Braten, das spart (gesättigte) Frittier- und Bratfette.
- Entfernen Sie Fettränder vom Fleisch.
- Wählen Sie fettarme Wurst und Käse.

Lernen Sie zwischen Fetten zu unterscheiden

Nun ist es jedoch keineswegs egal, welche Fette Sie reduzieren. Die Qualität der Fette für unsere Ernährung hängt von den so genannten Fettsäuremustern ab. Es gibt Fette mit gesättigten, einfach ungesättigten und mehrfach ungesättigten Fettsäuren. Bei den mehrfach ungesättigten Fetten lassen sich noch zwei Gruppen, nämlich die Omega-6- und die Omega-3-Fettsäuren, unterscheiden.

Generell kann man sagen, dass die Fette mit hauptsächlich gesättigten Fettsäuren reine Kalorienlieferanten sind. Auf

▲ Mageres Fleisch spart Fettkalorien.

diese Kalorien sind aber nur schwer körperlich arbeitende Menschen angewiesen, bei allen anderen haben sie die Tendenz, sich an Bauch, Beinen und Po niederzulassen. Außerdem beeinflussen diese Fette die Blutfettwerte negativ und gelten als Risikofaktor für Arteriosklerose und Herzinfarkt.

Entgegen dem tatsächlichen Bedarf machen die Fette mit gesättigten Fettsäuren 55 % unserer Gesamtfettkalorienaufnahme aus. Und das sollten wir unbedingt ändern: Greifen Sie zu mageren Fleisch- und Wurstsorten, entfernen Sie Fettränder beim Fleisch, braten Sie mit Oliven- oder Rapsöl an, streichen Sie Butter nur hauchdünn aufs Brot und ziehen Sie Obstkuchen der Sahnetorte vor.

Ziel ist es, unseren Fettbedarf in einer günstigeren Zusammensetzung zu decken: also weg von gesättigten, hin zu ungesättigten und hier speziell zu den mehrfach ungesättigten Fettsäuren der Omega-3-Fettsäure-Gruppe.

Ausnahmen bestätigen die Regel

Und jetzt kommt die gute Nachricht: Butter, Sahne und Käse sind trotz gesättigter Fettsäuren nicht ganz vom Speiseplan zu streichen!

Das Fettsäuremuster der Milchprodukte enthält zusätzlich konjugierte Linolsäuren (CLA). Diese haben anders gelagerte Doppelbindungen als die normale Linolsäure und sind dadurch stoffwechselaktiver. Außerdem werden sie als Krebsschutzfaktor gehandelt und heben den ernährungsphysiologischen Wert des Milchfetts. Natürlich empfehlen wir Ihnen auch hier, magere Milchprodukte zu bevorzugen sowie Butter und Sahne sparsam zu verwenden.

Wenn Sie Käsesorten im Bereich von 40 % Fett i. Tr. und darunter wählen, haben Sie mit einer Portion von 100 g bereits genügend CLA aufgenommen. Bei Milch oder Joghurt empfehlen wir die fettärmeren, 1,5-prozentigen Produkte. Das spart bei einem Liter Milch 20 g Fett, was einem Butterwürfel von der Größe entspricht, wie er in Hotels und Gasthöfen gereicht wird. Wenn Sie trotzdem die hochprozentigen Milchprodukte lieber mögen, muss das auch nicht unbedingt zum Problem werden.

Sie brauchen nur 30 Minuten zusätzlich flott spazieren zu gehen, und schon stimmt Ihr Energiehaushalt wieder.

Ungesättigte Fettsäuren gezielt erhöhen

Bei den einfach ungesättigten Fettsäuren greifen wir am besten auf Olivenöl und Nüsse zurück. Denn sowohl Olivenöl als auch Nüsse haben neben ihrem Fettgehalt noch weitere wertvolle Inhaltsstoffe. Olivenöl senkt das Krebsrisiko und verbessert die Cholesterinwerte. Nüsse haben sich als Chrom-, Magnesium- und Eisenlieferanten einen guten Namen gemacht. Aus der Gruppe der mehrfach ungesättigten Fette nehmen wir mit der täglichen Nahrung eigentlich genügend Omega-6-Fettsäuren auf, während wir den Anteil der Omega-3-Fettsäuren erhöhen könnten. Sie haben eine immunstabilisierende und entzündungshemmende Wirkung, deshalb sollte auch ihr Anteil an den Fettkalorien erhöht werden. Omega-3-Fettsäuren kommen z. B. vor in Seefisch, Leinöl, Hanföl, Walnussöl, Rapsöl und Sojaöl.

▲ Omega-3-Fettsäuren durch Fischgerichte

Gut zu wissen

Kaufen Sie hochwertige Produkte

Milchfett ist durch den Gehalt an konjugierter Linolsäure ein gutes Fett. Der CLA-Gehalt der Milch von Kühen, die frisches Gras bekommen, ist höher als der von Kühen, die mit Silage gefüttert werden. Noch höher ist der CLA-Gehalt der Milch aus Biobetrieben. Den höchsten CLA-Gehalt bekommen Sie also aus der Milch und Butter vom Bio-Bauern.

Essen Sie zweimal pro Woche Seefisch, etwa in Form von überbackenem oder gedünstetem Fisch, aber meiden Sie frittierten Fisch – er schwimmt leider meist in zu vielen gesättigten Fetten. Auch Thunfisch ist geeignet, achten Sie aber auch hier darauf, dass er in Wasser und nicht in Öl schwimmt.

Ergänzen Sie Ihre Salatsaucen mit Speiseleinöl. Es ist anfangs vielleicht vom Geschmack her gewöhnungsbedürftig. Versuchen Sie es doch einfach mit zunächst einem Teelöffel und steigern Sie die Dosis langsam.

Mein-Tipp

Fischölkapseln sind eine gute Nahrungsergänzung für alle, die keinen Fisch mögen.

Die richtigen Fettsäuren machen den Unterschied

Das richtige Nährstoff-Verhältnis zwischen Omega-6- und Omega-3-Fettsäuren sollte bei 4:1 liegen. Tatsächlich liegt es derzeit im Durchschnitt bei 10:1. Das bedeutet, wir essen viel zu viele Omega-6- und zu wenig Omega-3-Fettsäuren.

Es gibt nun zwei Strategien, den prozentualen Anteil der Omega-3-Fettsäuren an unserem Fettkonsum zu erhöhen. Einerseits können wir den Anteil der Lebensmittel erhöhen, die Omega-3-Fettsäuren enthalten, und andererseits ist es sinnvoll, die Lebensmittel mit Omega-6-Fettsäuren, das heißt Sonnenblumen- und Distelöl sowie Margarine, zu reduzieren.

Transfettsäuren rauben Ihre Lebensenergie

Transfettsäuren entstehen, wenn pflanzliche Öle gehärtet werden, um sie streichfähiger, länger haltbar oder pastös zu machen. Diese gehärteten Fette kommen nicht nur in Margarine, Koch-, Back- und Frittierfetten vor, sie werden mittlerweile von der Industrie auch in Produkten eingesetzt, wo wir sie nie erwarten würden: z. B. in Süßigkeiten, als Trennmittel bei Trockenobst, in fast allen fertigen Pulvermischungen für Kaffee, in Trockensuppen, in Brot und Keksen und in einer Vielzahl von Fertigprodukten.

Durch diese Verbreitung ist die Wahrscheinlichkeit sehr groß, dass wir, ohne es zu wollen, zu viele dieser Transfettsäuren aufnehmen. Da der Verdacht besteht, dass Transfettsäuren Blutgefäße und Darmschleimhäute schädigen und Krebs verursachen, ist es für unsere Vitalität also besser, wenn wir diese Fette meiden.

AUS DER PRAXIS

Quark mit Leinöl

Vermischen Sie 150 g Magerquark mit 2 EL Speiseleinöl, schneiden Sie etwas frische Kräuter, z. B. Schnittlauch, Rucola oder Petersilie, klein und heben Sie diese unter. Rühren Sie den Quark glatt, und schmecken Sie ihn mit etwas Kräutersalz und Pfeffer ab.

Dazu schmecken Pellkartoffeln besonders gut.

Geschmacksvarianten :

- 2 Radieschen klein hacken
- Eine kleine Knoblauchzehe pressen
- Ein kleines Stück Salatgurke raspeln

Trinken – alles eine Frage der Gewohnheit

Unser Körper braucht ausreichend Flüssigkeit, damit alle seine Prozesse auf vollen Touren laufen können und die Energiedepots in Muskulatur und Leber gut gefüllt werden. Viele Menschen können das Potenzial ihrer Ernährung nur deshalb nicht ausschöpfen, weil sie zu wenig trinken. Das können Sie sich vorstellen wie bei Pflanzen, die zu wenig gegossen werden. Auch hier funktioniert der Nährstofftransport nur unzureichend, und die Blätter vertrocknen schließlich.

▼ Unser Körper braucht Wasser. Sie sollten immer eine volle Flasche bei sich führen.

Aber wie viel und vor allem was sollen wir nun trinken? Pro Tag brauchen wir 3 Liter Flüssigkeit, damit alle unsere Stoffwechselvorgänge reibungslos ablaufen können und unser größtes Ausscheidungsorgan, die Niere, optimal arbeiten kann und alle Körperzellen ausreichend mit Wasser versorgt werden. Bei guter Flüssigkeitsversorgung ist das Blut relativ dünn, wodurch das Herz erheblich entlastet wird. Schon bei einem Flüssigkeitsdefizit von 2 % des Körpergewichts – dies entspricht bei 70 Kilogramm Körpergewicht 1,4 Liter Wasser – ist die Leistungsfähigkeit deutlich herabgesetzt.

Dass Sie ausreichend getrunken haben, erkennen Sie daran, dass Ihr Harn durchsichtig und klar ist. Ist der Urin jedoch kräftig gelb, dann haben Sie eindeutig zu wenig getrunken, denn die über die Niere auszuscheidenden Stoffwechselendprodukte und Giftstoffe sind hoch konzentriert.

Auf die Auswahl kommt es an

Wenn wir nun wirklich jeden Tag auf ungefähr 3 Liter Flüssigkeit kommen wollen, sollte es sich dabei hauptsächlich um solche Getränke handeln, die möglichst keine Energie enthalten. Der Löwenanteil unserer Trinkflüssigkeit sollte aus Leitungswasser, Mineral- oder Quellwasser und ungesüßtem Tee bestehen.

Fruchtsaftschorlen sind die ideale Ergänzung, wenn Wasser und Fruchtsaft in einem Verhältnis von ungefähr 3:1 stehen. Sie sind zwar nicht ganz energiefrei, enthalten dafür aber wertvolle Vitamine, Mineralien und Begleitstoffe aus den Früchten. Deshalb sind sie gerade beim Sport gute Durstlöscher.

Zu süß macht dick

Zeigen Sie gesüßten Getränken wie Soft-Drinks, Limonaden, Fruchtnektaren oder gesüßten Teegetränken (gesüßter Grüntee oder Ice-Tea) die kalte Schulter. Diese Getränke enthalten sehr viele leere Zuckerkalorien und sind dadurch reine Dickmacher. Wenn Sie in Begleitung dieser Getränke noch eine Mahlzeit mit hohem Fettanteil zu sich nehmen (z. B. Pommes frites, Chips etc.), ist ein ordentlicher Kalorienüberschuss garantiert, der sogleich in Form von Schwimmringen für Notzeiten auf den Hüften abgelagert werden wird.

Ob wir etwas als süß empfinden oder nicht, ist Gewohnheitssache. Da uns die Getränke von der Industrie relativ süß dargeboten werden, haben wir uns an diesen Level gewöhnt. Wenn wir nach und nach den Zucker in unseren Getränken reduzieren, wird sich das Süßeempfinden relativ schnell wieder umgewöhnen. Der Wunsch nach süßen

Gut zu wissen

Zur Deklaration von Saft und Saftgetränken

Wenn Sie Saft kaufen, achten Sie darauf, dass Sie einen 100-prozentigen Saft kaufen. Die Bezeichnung „Fruchtnektar" bedeutet, dass dem Saft Wasser und Zucker hinzugefügt wurden, der Fruchtanteil liegt hier nur noch bei 25–50 %. Noch schlechter schneiden „Fruchtsaftgetränke" ab, die je nach Sorte nur noch 6 bis maximal 30 % Fruchtsaftanteil enthalten.
Den handelsüblichen Säften wird nach der Gewinnung zunächst ein großer Anteil Wasser entzogen, das heißt, sie werden konzentriert. Nach dem Transport wird bei der Abfüllung wieder Wasser zugegeben, um so die ursprüngliche Konsistenz wieder herzustellen. Es gibt jedoch auch die so genannten Direktsäfte, die nach dem Pressen direkt, ohne den Umweg der Konzentrierung, abgefüllt werden.

Getränken verliert sich allmählich. Schulen Sie also Ihr Süßeempfinden: Reduzieren Sie die Zuckermenge, die Sie in Kaffee und Tee geben, langsam in Stufen. Verdünnen Sie nach und nach Ihren Fruchtsaft mit etwas mehr Wasser. Nach 2–3 Wochen kommen Sie mit einem Bruchteil der vormaligen Zuckermenge aus.

Mein-Tipp

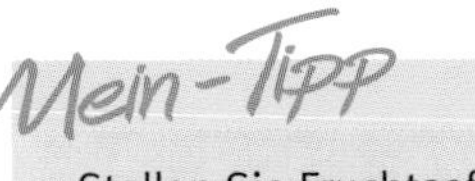

Stellen Sie Fruchtsaftschorlen selbst her. Kaufen Sie hochwertigen Saft und verdünnen Sie ihn mit Wasser: 2–3 Teile Wasser, 1 Teil Saft.

Zählen koffeinhaltige Getränke zur Trinkmenge?

Bis vor kurzem hieß es, dass Kaffee und schwarzer bzw. grüner Tee dem Körper Wasser entziehen. Dies gilt nach neueren wissenschaftlichen Erkenntnissen jedoch nur für diejenigen, die diese Getränke nicht täglich zu sich nehmen. Bei regelmäßigem Konsum hat sich die Niere daran gewöhnt und lässt sich dadurch nicht aus dem Konzept bringen.

▼ Espresso und Kaffee in Maßen genießen.

Koffeinhaltige Getränke regen den Stoffwechsel an und enthalten außerdem wertvolle Gerbsäuren, die als natürliche Krebsschutzfaktoren gelten. Es ist also gut, täglich etwas Kaffee, Schwarz- oder Grüntee zu trinken. Damit die gewünschte Trinkmenge von 3 Litern Flüssigkeit nicht infrage gestellt wird, ergänzen Sie doch einfach jede Tasse Kaffe oder Tee mit einem Glas Wasser. Dann sind Sie auf der sicheren Seite, unabhängig von den neuesten wissenschaftlichen Erkenntnissen. Das ist übrigens in anderen europäischen Ländern längst Standard. In Italien und Österreich bekommen Sie zu jeder Tasse Kaffe ganz selbstverständlich ein Glas Wasser gereicht. Das verbessert nämlich außerdem die Verträglichkeit des Kaffees für die Magenschleimhäute.

Macht Kaffee sauer?

Da sind wir Kaffee- und Teetrinker gerade noch einmal davon gekommen. Aber was ist nun mit der so oft zitierten

Übersäuerung? Dass Kaffee, Schwarz- und Grüntee den Körper übersäuern, stimmt so nicht. Neuere Untersuchungen haben ganz im Gegenteil sogar gezeigt, dass diese Getränke entsäuern.

Die These der Übersäuerung wurde gestützt durch einen nach dem Kaffee-Genuss feststellbaren sauren Urin. Tatsächlich bindet Kaffee im Magen einerseits Säure, die dann über die Nieren ausgeschieden wird, andererseits werden bei der Bildung der Magensäure auch basische Stoffe ins Gewebe abgegeben. Deshalb ist die Wirkung dieser koffeinhaltigen Getränke entsäuernd und basenbildend. Also auch von dieser Seite her grünes Licht für mäßigen Kaffee- oder Teegenuss.

Asthmatikern wird der Genuss von Kaffee sogar empfohlen, da Koffein die Bronchien weitet.

Auf die Dosis kommt es an

Wie bei den meisten Dingen im Leben kommt es auch bei Kaffee- und Teegenuss auf das Maß an: Trinken Sie nicht mehr als 2–3 Tassen täglich, und sehen Sie Kaffee und Tee als Genussmittel, nicht als Durstlöscher an.

Zu viel Koffein, das heißt deutlich mehr als täglich 3 Tassen, macht nervös und verschlechtert die Kalziumbilanz, geht also im wahrsten Sinne des Wortes auf die Knochen, da Sie zu viel Kalzium über die Nieren verlieren.

> *Gut zu wissen*
>
> **Schwangerschaft und Kaffee**
>
> Schwangere sollten eher weniger als 2 Tassen Kaffee am Tag zu sich nehmen, da diese Koffeinmenge schon ausreicht, um die Blutgefäße in der Plazenta zu verengen. Unter einer schlecht durchbluteten Plazenta kann die Sauerstoff- und Nährstoffversorgung des Babys leiden.

Wenn Sie dazu neigen, viel Kaffee zu trinken, dann hören Sie ab und an in sich hinein: Warum muss es in diesem Moment gerade Kaffee sein? Soll er Sie wach machen? Dann ist es vielleicht besser, kurz eine Runde um den Block zu drehen, ein kleines Gespräch zu suchen oder ein paar Mal tief durchzuatmen. Oder haben Sie einfach Lust darauf? Dann genießen Sie Ihren Kaffee.

▼ Nichts spricht gegen eine Tasse Tee.

So schaffen Sie spielend 3 Liter

Jetzt wissen Sie, was und in welcher Menge Sie trinken sollen, nun bleibt nur noch, dieses neue Wissen in die Praxis umzusetzen. Was Sie brauchen, um alte Gewohnheiten zu ändern und neue anzunehmen, ist eine Strategie. Insbesondere ältere Menschen verlieren ihr natürliches Durstgefühl und brauchen immer wieder einen Anstoß zum Trinken.

Meine Trinkstrategie

Nehmen Sie sich etwas Zeit, einen Stift und ein Blatt Papier. Teilen Sie das Blatt in drei Zonen auf – „morgens", „mittags" und „abends" – und schreiben Sie einmal grob auf, wann, was und wie viel Sie an einem ganz normalen Tag trinken. Schauen Sie sich Ihren Plan genau an, denn nun haben Sie eine Grundlage, auf der Sie Ihre Trinkstrategie aufbauen können.

Wenn Sie etwa morgens zu wenig trinken, überlegen Sie sich, wie Sie vormittags die Trinkmenge erhöhen können. Eine Möglichkeit ist, sich gleich zum Frühstück eine Kanne Tee zuzubereiten, diese in eine Thermoskanne umzufüllen und über den Vormittag verteilt zu trinken.

Hängen Sie Ihre Trinkstrategien gut sichtbar an den Kühlschrank und haken Sie Ihre Trinkmengen ab. Insbesondere in der Anfangszeit kann das eine große Hilfe sein. Sie können sich auch angewöhnen, vor den Mahlzeiten ein Glas Wasser zu trinken, dann schaffen Sie schon eine ganz ordentliche Grundlage. Zudem können Sie immer eine Flasche Mineralwasser griffbereit haben, also am Arbeitsplatz oder in der Küche, eben dort, wo Sie immer wieder vorbeikommen. Eine Flasche sollte morgens und eine mittags leer werden.

Wenn Sie sich mit dieser neuen Trinkstrategie ganz schwer tun sollten, dann können Sie sich auch zu Beginn einen Wecker stellen, der Sie nach 2 Stunden daran erinnert, etwas zu trinken. Schon in wenigen Tagen wird sich Ihr Körper so an die Flüssigkeit gewöhnt haben, dass sich ein natürliches Durstgefühl wieder einstellt.

Gut zu wissen

Ingwerwasser

Schneiden Sie ein Stück Ingwer von der Größe einer Cocktailtomate in dünne Scheiben und überbrühen Sie diese mit ca. 1 Liter kochendem Wasser. Den Aufguss 15 Minuten ziehen lassen. Ingwer-Wasser ist sehr bekömmlich, stärkt das Immunsystem und ist eine willkommene Abwechslung zu Wasser und Tee.

ANHANG

So, jetzt haben Sie einen ganzen Koffer voller Tipps zum Body-Coaching erhalten. Damit Sie eine klare Handlungsanleitung haben, legen wir Ihnen im Folgenden fünf erprobte Body-Coaching-Pläne vor. Es geht um die Kräftigung von Darm, Stoffwechsel und Bindegewebe. Da immer mehr Menschen unter Arthrose leiden, die die Bewegungsfähigkeit einschränkt, darf auch ein spezieller Arthrose-Plan nicht fehlen.

Mein Body-Coach-Programm für mehr Vitalität

Nun geht es an die praktische Umsetzung der grauen Theorie. Auf den nächsten Seiten finden Sie zunächst die Fragebogen, die Sie ausfüllen können, um Ihren persönlichen Vitalitäts-Check durchzuführen. Es gibt einen Fragebogen für jeden Lebensbereich, also einen Sozial-Check, einen Body-Check und einen Stärken-Check. Im Anschluss finden Sie eine Tabelle, in die Sie Ihre Werte eintragen, und ein Vitalitätsrad, das Ihnen diese Werte veranschaulichen wird.

Seien Sie beim Ausfüllen ehrlich zu sich selbst, dann erhalten Sie auch eine ehrliche Einschätzung über den Zustand Ihrer Vitalität. Das System ist ganz einfach: Für jede Antwort gibt es eine bestimmte Punktzahl. Sie kreuzen die für Sie zutreffenden Antworten an und zählen am Schluss eines jeden Fragebogens die Punkte zusammen. Nun tragen Sie Ihre erreichte Punktzahl in die dafür vorgesehene Tabelle ein.

Für die Beispieltabelle unten haben wir die Werte unseres Fallbeispiels Darling genommen (siehe Seite 14). Der Sozial-Check ist zweimal eingetragen, da wir so die jeweilige Differenz zwischen den einzelnen Lebensbereichen in einer Tabelle ermitteln können. Wir sehen also sofort, wo unser Vitalitätsrad die größten Kanten aufweisen wird.

Die maximale Punktzahl, die Sie pro Fragebogen erzielen können, sind 120 Punkte. Der Grad Ihrer Vitalität errechnet sich aus der Summe des Sozial-Check-, des Body-Check- und des Stärken-Check-Fragebogens, kann also maximal 360 Punkte betragen.

Beispieltabelle

	Sozial-Check	Stärken-Check	Body-Check	Sozial-Check
Erreichte Punktzahl	90	60	50	90
Differenz zwischen	30	10		40
Höchste Differenz				40
Maximale Punktzahl	120	120	120	120
Mein Vitalitätsgrad	90 + 60 + 50 = 200 (Maximaler Vitalitätsgrad = 360)			

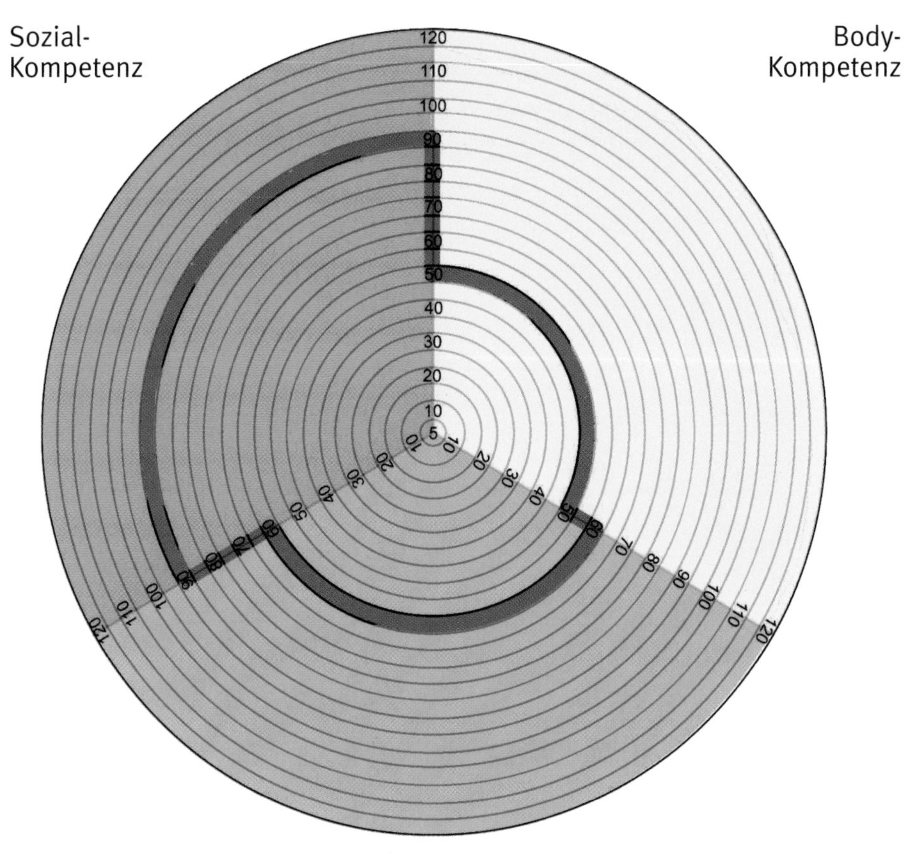

▲ So sieht das Vitalitätsrad mit den Punktzahlen aus der Beispieltabelle aus.

Wenn man das Ergebnis der drei Tests in das Vitalitätsrad überträgt, wird der jeweilige Ist-Zustand der Vitalität sehr anschaulich. Das Beispiel oben zeigt eine starke Sozial-Kompetenz, aber eine deutlich schwächere Stärken-Kompetenz und eine viel zu wenig ausgeprägte Body-Kompetenz. Ein Rad, das so große Ecken und Kanten wie in unserem Beispiel aufweist, kann nicht mehr rund laufen. Hier gibt es eindeutig Handlungsbedarf. Aber nun zu Ihren Fragebogen. Überprüfen Sie Ihre Vitalität und stellen Sie fest, wo Sie Ihre Stärken und wo Ihre Schwächen haben. Wollen Sie die Tests später wiederholen oder auch anderen zugänglich machen, kopieren Sie die Seiten vor dem Ausfüllen.

Fragebogen zum Vitalitätsrad

Der Sozial-Check

03.05.09

1	Welches Verhältnis haben Sie zu Ihren Eltern?		
	a	Wir haben den Kontakt (Besuche, Telefonate, Briefe) abgebrochen.	☐
	b	Wir haben wenig Kontakt (weniger als 1-mal pro Monat).	☐
	c	Wir haben oft Kontakt.	☑
2	Wenn meine Erziehung anders verlaufen wäre,		
	a	hätte ich eine andere Partnerschaft gewählt, bzw. die Beziehung zu meinem Partner/meiner Partnerin wäre besser.	☐
	b	wäre ich nicht so erfolgreich in meiner Partnerschaft.	☐
	c	Meine Erziehung hat sicher viel Einfluss gehabt, aber für meine Beziehung übernehme ich selbst die Verantwortung.	☑
3	Kommunikation in der Partnerschaft		
	a	Wir haben uns nicht so viel zu sagen.	☐
	b	Wir reden während gemeinsamer Mahlzeiten miteinander.	☐
	c	Wir planen im Alltag Zeit für gemeinsame Gespräche bewusst ein.	☐
4	Gemeinsame Aktivitäten oder Hobbys mit dem Partner/der Partnerin (hier ist explizit der Freizeitbereich gefragt)		
	a	Wir haben schon lange nichts mehr gemeinsam unternommen.	☐
	b	Wir machen mindestens 1-mal monatlich etwas zusammen.	☐
	c	Wir machen mindestens 1-mal wöchentlich etwas zusammen.	☐
5	Sie haben freundschaftlichen Kontakt zu		
	a	fast niemandem aus der Verwandtschaft.	☐
	b	einigen ausgewählten Verwandten.	☐
	c	einem Großteil der Verwandtschaft.	☑

6	Wann haben Sie sich zum letzten Mal eine liebevolle Überraschung für Ihre Freunde überlegt?		
	a	So etwas gibt es nur zu bestimmten Anlässen (Geburtstag, Hochzeitstag etc.).	☐
	b	Das kommt öfter vor (mindestens 1-mal pro Monat).	☑
	c	So etwas gibt es regelmäßig (mindestens 1-mal pro Woche).	☐
7	Gemeinsame Aktivitäten oder Hobbys mit Freunden		
	a	Wir gehen hauptsächlich zusammen aus und trinken etwas gemeinsam.	☑
	b	Wir unternehmen mindestens 1-mal monatlich etwas zusammen (Kino, Theater, Sport, Wandern ...).	☐
	c	Wir üben unser Hobby regelmäßig zusammen aus (mindestens 1-mal wöchentlich).	☐
8	Wie ist der Kontakt zu Ihren Nachbarn?		
	a	Ich kenne meine Nachbarn nicht.	☐
	b	Wir grüßen uns, wenn wir uns auf der Straße begegnen.	☑
	c	Wir unterhalten uns und kennen uns etwas, und wir übernehmen gegenseitig kleine Aufgaben füreinander.	☐
9	Sind Sie Mitglied in einem Verein oder einer Gemeinschaft?		
	a	Ich bin nicht in einem Verein aktiv.	☐
	b	Ich bin aktives Mitglied und treffe mich regelmäßig mit anderen Mitgliedern.	☐
	c	Ich bin Mitglied und bekleide ein Ehrenamt.	☑

Beantworten sie folgende Fragen nur, wenn sie Kinder haben:

10	Nehmen Sie an den Aktivitäten Ihrer Kinder teil?		
	a	Ich bin froh, wenn ich die Zeit für mich habe, ich brauche die Pausen dringend.	☐
	b	Ich wechsele mich mit anderen Eltern ab.	☐
	c	Ich bin immer dabei, wenn es irgendwie geht.	☑

11	Ihre Kinder sind in ihrer Freizeit		
	a	meist bei Freunden.	☐
	b	wenn zu Hause, dann alleine.	☐
	c	oft mit Freunden bei mir/uns zu Hause.	☑
12	Wie gut kennen Sie die Freunde Ihrer Kinder?		
	a	Ich weiß nicht einmal die Namen, und mein Kind erzählt nur sehr wenig.	☐
	b	Ich wechsle regelmäßig bei Besuchen ein paar Worte mit ihnen und kenne teilweise die Namen.	☐
	c	Mein Kind stellt seine Freunde vor und erzählt viel von ihnen.	☑

Beantworten sie folgende Fragen nur, wenn sie keine Kinder haben:

10	Wie sieht Ihr Kontakt zu Freunden/Bekannten aus?		
	a	Der Kontakt geht eher von den Freunden aus.	☐
	b	Dafür ist mein Partner/meine Partnerin zuständig.	☐
	c	Ich halte den Kontakt regelmäßig.	☐
11	Wann haben Sie zum letzten Mal neue Leute kennen gelernt und den Kontakt vertieft?		
	a	Ich bin so beschäftigt, dazu habe ich selten Gelegenheit.	☐
	b	Das ist schon länger her.	☐
	c	Ich lerne regelmäßig neue Leute kennen.	☐
12	Ich habe jemanden kennen gelernt, wir haben uns angeregt unterhalten und anschließend unsere Adressen/Telefonnummern ausgetauscht.		
	a	Ich höre nie wieder etwas von diesem Menschen	☐
	b	Ich warte, ob sich der/die andere meldet.	☐
	c	Ich melde mich innerhalb von ein paar Tagen bei diesem Menschen.	☐
		Sozial-Check: Punkte gesamt	80

Der Body-Check

03.05.08

1		Wie viele Portionen Obst, Gemüse und/oder Salat essen Sie täglich? (1 Portion = 1 St. Obst oder 1 Beilagenportion Gemüse oder ein kleiner Salatteller)	
	a	Weniger als 2 Portionen	☐
	b	2–4 Portionen	☒
	c	Mehr als 4 Portionen	☐
2		Wie oft sind Vollkornreis, Haferflocken, Vollkornbrot, Kartoffeln in der Schale, Ackerschachtelhalmkonzentrate, Brennnesseltee Bestandteil Ihrer Mahlzeiten?	
	a	0–2-mal pro Woche	☐
	b	2–4-mal pro Woche	☒
	c	Mehr als 4-mal pro Woche	☐
3		Wie viel trinken Sie pro Tag? (Wasser, Tee, Kaffee, Limonade, Bier, Suppe ...)	
	a	Bis zu 1 Liter	☐
	b	1–2 Liter	☐
	c	Mehr als 2 Liter	☒
4		Wie oft haben Sie Stuhlgang pro Woche?	
	a	1-mal	☐
	b	2–3-mal	☐
	c	Mehr als 3-mal	☒
5		Nehmen Sie Abführmittel?	
	a	Regelmäßig	☐
	b	Hin und wieder	☐
	c	Absolut nie	☒
6		Messen Sie mit einem Maßband Ihre Hüfte (genau auf den Hüftknochen) und Ihre Taille (an der schlanksten Stelle). Tragen sie hier den Wert ein Taille : Hüfte = ____	
		Frauen	
	a	Der Wert ist größer als 0,9	☐
	b	Der Wert liegt zwischen 0,8 und 0,9	☒
	c	Der Wert ist kleiner als 0,8	☐
		Männer	
	a	Der Wert ist größer als 1,1	☐
	b	Der Wert liegt zwischen 0,9 und 1,1	☐
	c	Der Wert ist kleiner als 0,9	☐

7	Wie oft nehmen Sie Peperoni, Ingwer, magnesiumreiches Mineralwasser (Magnesiumgehalt höher als 100 mg pro Liter) oder eine magnesiumhaltige Nahrungsergänzung zu sich?	
a	0–1-mal pro Woche	☐
b	2–3-mal pro Woche	☐
c	Mindestens 4-mal pro Woche	☒

8	Wie viele Bewegungseinheiten von mindestens 30 Minuten (Ausdauerbelastung) machen Sie pro Woche?	
a	0–1-mal pro Woche	☐
b	2–3-mal pro Woche	☒
c	Mindestens 4-mal pro Woche	☐

9 Bestimmen Sie Ihren Body-Mass-Index. Diese Messgröße setzt Ihr Körpergewicht ins Verhältnis zu Ihrer Körpergröße.

Tragen sie Ihre Werte in folgende Formel ein:

164 Körpergewicht (in kg) 64
———————————————
Körpergröße x Körpergröße (in Metern)   mein BMI = ____________

Zur Auswertung legen wir die BMI-Tabelle des National Research Council (USA) zugrunde, welche das Alter berücksichtigt. Sie erhalten 10 Punkte, wenn der Wert innerhalb der BMI-Spanne für Ihr Alter liegt, und 0 Punkte, wenn der Wert darüber oder darunter ist.

Alter 9–24	BMI 19–24	Alter 25–34	BMI 20–25	☐
Alter 35–44	BMI 21–26	Alter 45–54	BMI 22–27	☒
Alter 55–64	BMI 23–28	Alter › 64	BMI 24–29	☐
	Mein Wert liegt außerhalb der BMI-Spanne			☐

10	Begutachten Sie Ihre Haut (an Armen und Beinen), Ihre Haare und Ihre Fingernägel. Welchen Eindruck haben sie?	
a	Meine Haut ist trocken/oft schuppig, und/oder meine Haare wirken stumpf und wachsen sehr langsam, und/oder meine Nägel brechen und splittern sehr schnell.	☐
b	Meine Haut könnte öfters mehr Feuchtigkeit gebrauchen, aber ich muss mich nicht nach jedem Duschen eincremen, meine Haare haben wenig Spannkraft, meine Nägel wachsen normal, aber brechen leicht (sind nicht elastisch).	☐
c	Meine Haut wirkt frisch und vital, beim Duschen perlt das Wasser von meinem Körper ab, meine Haare wirken kräftig, meine Nägel wachsen zügig und sind elastisch.	☒

11	Haben Sie Blähungen, neigen sie zu Gasbildung?		
	a	Häufig und auch nicht in einem klar erkennbaren Zusammenhang mit dem, was ich gegessen habe.	☒
	b	Maximal 1–2-mal pro Woche	☐
	c	Nur nach ganz bestimmten Lebensmitteln	☐
12	Welche Konsistenz hat Ihr Stuhl in der Regel?		
	a	Ich habe häufig Durchfall.	☒
	b	Er ist eher hart und neigt zur Bildung von Kötteln.	☐
	c	Es ist eine normale glatte Wurst.	☐
		Body-Check: Punkte gesamt	80

3. Mai 09

Der Stärken-Check

1	Was sind meine größten Stärken (Charaktereigenschaften) und Fähigkeiten (was kann ich besonders gut)? Bitte nennen Sie mindestens je zwei:		
	Stärken:		
	1. Lebenskrisen meistern		
	2. Ehrlichkeit		
	Fähigkeiten:		
	1. Kreativität		
	2. Lebensperspektiven erkennen		
	Diese Stärken/Fähigkeiten kann ich derzeit in meinem Beruf		
	a	nicht einbringen.	☐
	b	ab und zu einbringen.	☒
	c	allesamt gut einbringen.	☐
2	Welche Schwächen haben Sie? Nennen Sie nur zwei:		
	1. Ungeduld		
	2. Selbstzweifel		
	Wie gehen Sie damit um?		
	a	Ich überspiele meine Defizite.	☐
	b	Ich versuche, die Schwächen durch besondere Leistungen auf anderen Gebieten wettzumachen.	☐
	c	Ich akzeptiere meine Schwächen und suche mir Unterstützung.	☒
3	Mit meiner derzeitigen beruflichen Situation fühle ich mich		
	a	unglücklich.	☒
	b	zufrieden.	☐
	c	erfüllt und begeistert.	☐
4	Haben Sie Ihre Ziele konkret schriftlich festgehalten?		
	a	Was ich will, erreiche ich auch so. Das lässt sich nicht so genau planen.	☐
	b	Ich habe meine Ziele im Kopf.	☐
	c	Ich habe meine Ziele aufgeschrieben und überprüfe in regelmäßigen Abständen, ob ich sie erreiche.	☒
5	Wie verwalten/planen Sie Ihre Finanzen?		
	a	Bei mir gibt es nichts zu verwalten/planen. Ich brauche mein Geld jeden Monat auf und habe tendenziell eher immer etwas zu wenig.	☒
	b	Wenn am Monatsende etwas übrig ist, kommt es aufs Sparkonto.	☐
	c	Ich habe einen festen Plan, wie ich mein Geld verwende, auch der monatliche Sparbetrag ist eingeplant.	☐

6	Wissen Sie, wofür Sie Ihr Geld ausgeben?		
	a	Ich frage mich öfter, wo mein Geld hingekommen ist. Das Leben ist so teuer geworden.	☐
	b	Ich habe eine Zusammenstellung der größeren Ausgaben, die kleineren behalte ich so im Griff.	☒
	c	Ich führe regelmäßig ein Haushaltsbuch.	☐
7	Was wissen Sie über die Finanzierung Ihrer Altersversorgung?		
	a	Ich verlasse mich auf meinen Partner und/oder auf die Beratung meines Versicherungsvertreters.	☐
	b	Ich wollte mich schon die ganze Zeit darum kümmern, bin aber noch nicht dazu gekommen.	☐
	c	Ich habe mich bei mehreren Stellen informiert und habe jetzt einen Plan erstellt.	☒
8	Wenn meine Erziehung anders verlaufen wäre,		
	a	hätte ich einen anderen Beruf gewählt/wäre ich in meinem Beruf erfolgreicher.	☐
	b	hätte ich nicht so viel erreicht.	☐
	c	hätte sich nicht viel geändert. Meine Erziehung hat sicher viel Einfluss gehabt, aber für mein Leben übernehme ich selbst die Verantwortung.	☒
9	Sie haben einen wichtigen Termin und haben Ihren Haus-/Autoschlüssel verlegt, wie reagieren Sie?		
	a	Ich beschimpfe mich selbst für meine Dusseligkeit, während ich hektisch überall suche.	☐
	b	Ärgern und Hektik bringen auch nichts. Ich setze mich kurz hin und überlege, wo ich den Schlüssel zuletzt gehabt habe.	☐
	c	Ich nehme mir vor, den Schlüssel zukünftig immer an seinen Platz zu tun, und lege diesen sofort fest.	☒
10	Sie sind durch eine Prüfung gefallen, oder sie haben schlecht abgeschnitten, obwohl Sie sich sehr gut vorbereitet hatten (Führerschein, Abschlussprüfung). Wie gehen sie mit diesem Erlebnis um?		
	a	Ich fühle mich schlecht und mache mir Vorwürfe.	☐
	b	Ich versuche, das Ganze so schnell wir möglich zu vergessen, Prüfungen sind einfach nicht mein Ding.	☐
	c	Ich schaue mir die Situation an und überlege, was ich nächstes Mal besser machen könnte.	☒

11	Welchen Stellenwert hat für Sie Spiritualität? (Hier zählt nicht nur der konfessionelle Glaube.)		
	a	Alles, was sich nicht beweisen lässt, ist für mich nicht relevant.	☐
	b	Wenn ich vor einer großen Herausforderung stehe, bedauere ich, dass ich keinen festen Glauben habe.	☐
	c	Mein Glaube ist für mich Antrieb und gibt mir Kraft.	☑
12	Vor Ihnen steht ein halb gefülltes Glas. Was sehen Sie?		
	a	Das Glas ist halb leer.	☐
	b	Im Glas sind genau 100 ml.	☐
	c	Das Glas ist halb voll.	☑
		Stärken-Check: Punkte gesamt	90

Die Auswertung der Fragebogen

Wenn Sie die drei Fragebogen ausgefüllt haben, errechnen Sie Ihre Gesamtpunktzahl pro Fragebogen.

Für jedes a gibt es 0 Punkte, für jedes b erhalten Sie 5 Punkte und für jedes c geben Sie sich 10 Punkte.

Tragen Sie nun die Gesamtpunktzahlen in die erste Zeile der unten stehenden Tabelle ein. Der Sozial-Check wird zweimal eingetragen, damit wir die Unterschiede zwischen allen drei Lebensbereichen in einer Tabelle bestimmen können.

In der zweiten Zeile ermitteln Sie die jeweilige Differenz der direkt über der Spalte stehenden zwei Lebensbereiche: also die Differenz zwischen Sozial- und Body-Check, zwischen Body- und Stärken-Check sowie zwischen Stärken- und Sozial-Check. Auch diese Werte tragen Sie bitte in die Tabelle ein.

In der dritten Zeile halten Sie nur die höchste Differenz aus der zweiten Zeile fest. Hier sehen Sie sofort, wo die Ecken beziehungsweise Kanten Ihres Vitalitätsrads am stärksten ausgeprägt sind.

Unterhalb der Zeile mit den maximalen Punktzahlen tragen Sie die Summe aller Ihrer Punkte aus den Fragebogen ein.

Die Zahl, die Sie addiert haben, bezeichnet Ihren persönlichen Vitalitätsgrad (maximal 360 Punkte).

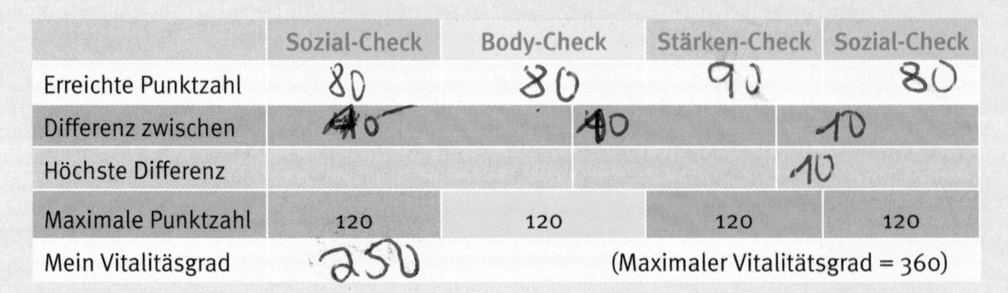

	Sozial-Check	Body-Check	Stärken-Check	Sozial-Check
Erreichte Punktzahl	80	80	90	80
Differenz zwischen	10	10	10	
Höchste Differenz			10	
Maximale Punktzahl	120	120	120	120
Mein Vitalitäsgrad	250		(Maximaler Vitalitätsgrad = 360)	

Ihr persönliches Vitalitätsrad

Um das Ergebnis der drei Tests zu veranschaulichen, übertragen Sie nun die Werte aus Sozial-, Stärken- und Body-Check in das Vitalitätsrad.

Markieren Sie Ihre Punktzahlen auf den Achsen des Rades, und zwar jeweils an beiden Enden der einzelnen Felder. Ziehen Sie innerhalb der Felder den Bogen nach und verbinden Sie die Bereiche auf den Achsen. Die Kontur gibt Ihnen ein klares Bild vom Ist-Zustand. Das Ergebnis mögen Sie geahnt haben, aber so konkret haben Sie sich Ihre Lebenssituation wahrscheinlich noch nicht vor Augen geführt. Anhand Ihres Vitalitätsrades können Sie nun recht schnell entscheiden, wo Sie anfangen möchten, Ihre Vitalität zu steigern.

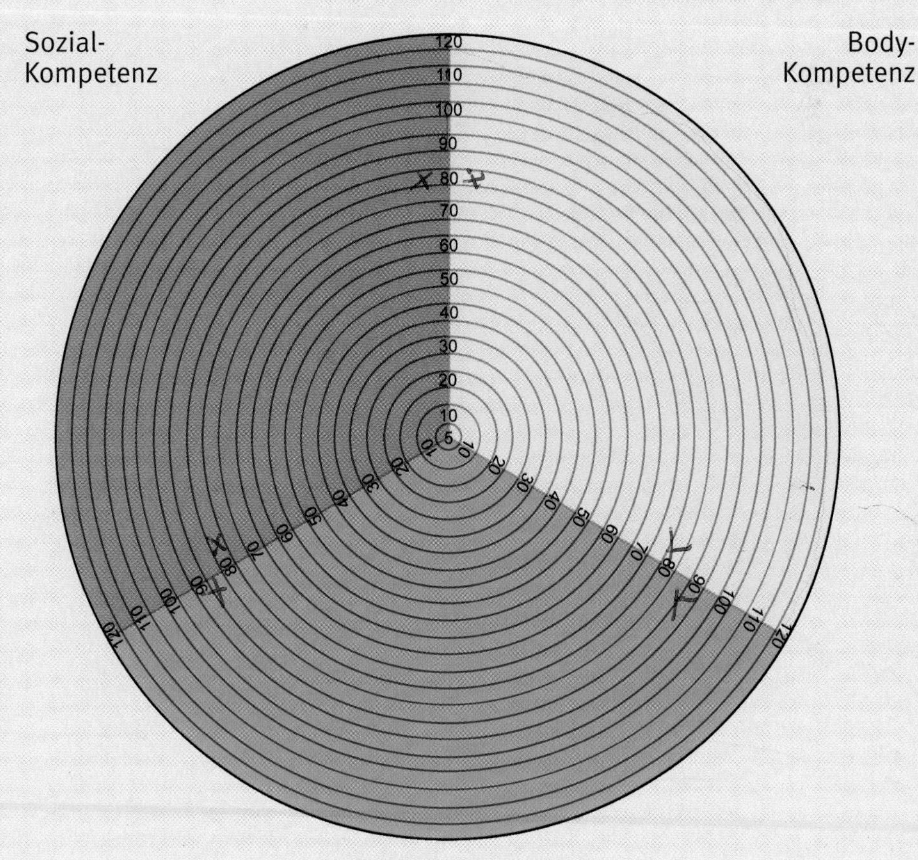

▲ Tragen Sie Ihre Werte in das Vitalitätsrad ein, um festzustellen, wie Ihre Lebensbereiche gewichtet sind (siehe Beispiel Seite 129).

Wochenpläne Body-Coach

Basisplan (gilt für 4 Wochen)

Ab Woche 2 werden die samstäglichen Bewegungseinheiten auf 45 Minuten gesteigert, und in der Woche 4 wird zusätzlich die Bewegungseinheit am Mittwoch auf 45 Minuten erhöht.

Tag	Ernährung	
	Generell	▪ Tägliche Trinkmenge 3 Liter: Trinken Sie vor jeder Mahlzeit ein großes Glas Mineralwasser, Orangensaftschorle, Leitungswasser oder Tee. Die restliche Menge verteilen Sie über den Tag. ▪ Gönnen Sie sich bei möglichst vielen Mahlzeiten Esskultur (schön gedeckter Tisch mit Tischtuch, Kerze usw.).
Montag	Morgens	Haferflocken mit Obstsalat und Milch oder probiotischem Joghurt
	Vormittags	
	Mittags	Großer Blattsalat mit Zwiebeln, Pilzen (und evtl. Knoblauch), Salatsauce mit etwas Speiseleinöl Ein Pizzabrot oder Gemüsenudeln italienisch* Nachtisch: Obst und je nach Lust Cappuccino oder Espresso
	Nachmittags	
	Abends	Erbsen mit Reis und Tomatensauce oder Tomatensalat 1/8 l Rotwein oder 1/4 l roter Traubensaft Nachtisch: Obst und je nach Lust Capuccino oder Espresso
Dienstag	Morgens	Ein Stück Obst, Vollkornbrot mit Belag nach Lust und Laune
	Vormittags	
	Mittags	Gurkensalat, Salatsauce mit etwas Speiseleinöl Ein leichtes Nudelgericht, z.B. Alio-Olio* Nachtisch: Obst und je nach Lust Cappucchino oder Espresso
	Nachmittags	
	Abends	Gemüsesuppe mit Brot oder Getreidesuppe*; 1/4 l roter Traubensaft Nachtisch: 1/2 Reihe Schokolade, Cappuccino oder Espresso
Mittwoch	Morgens	Ein Stück Obst, Toastbrot oder 2 helle Brötchen mit Hüttenkäse und einer Tomate oder mit Honig oder Marmelade
	Vormittags	
	Mittags	Großer Salat mit Mais und roten Bohnen, Salatsauce mit etwas Speiseleinöl, dazu frisches Baguette Nachtisch: kleiner Pudding
	Nachmittags	
	Abends	Pellkartoffeln mit gedünstetem Gemüse oder Brokkoli mit Kokos-Lachs-Sauce* 1/8 l Rotwein oder 1/4 l roter Traubensaft Nachtisch: kleine Süßspeise, Cappuccino oder Espresso

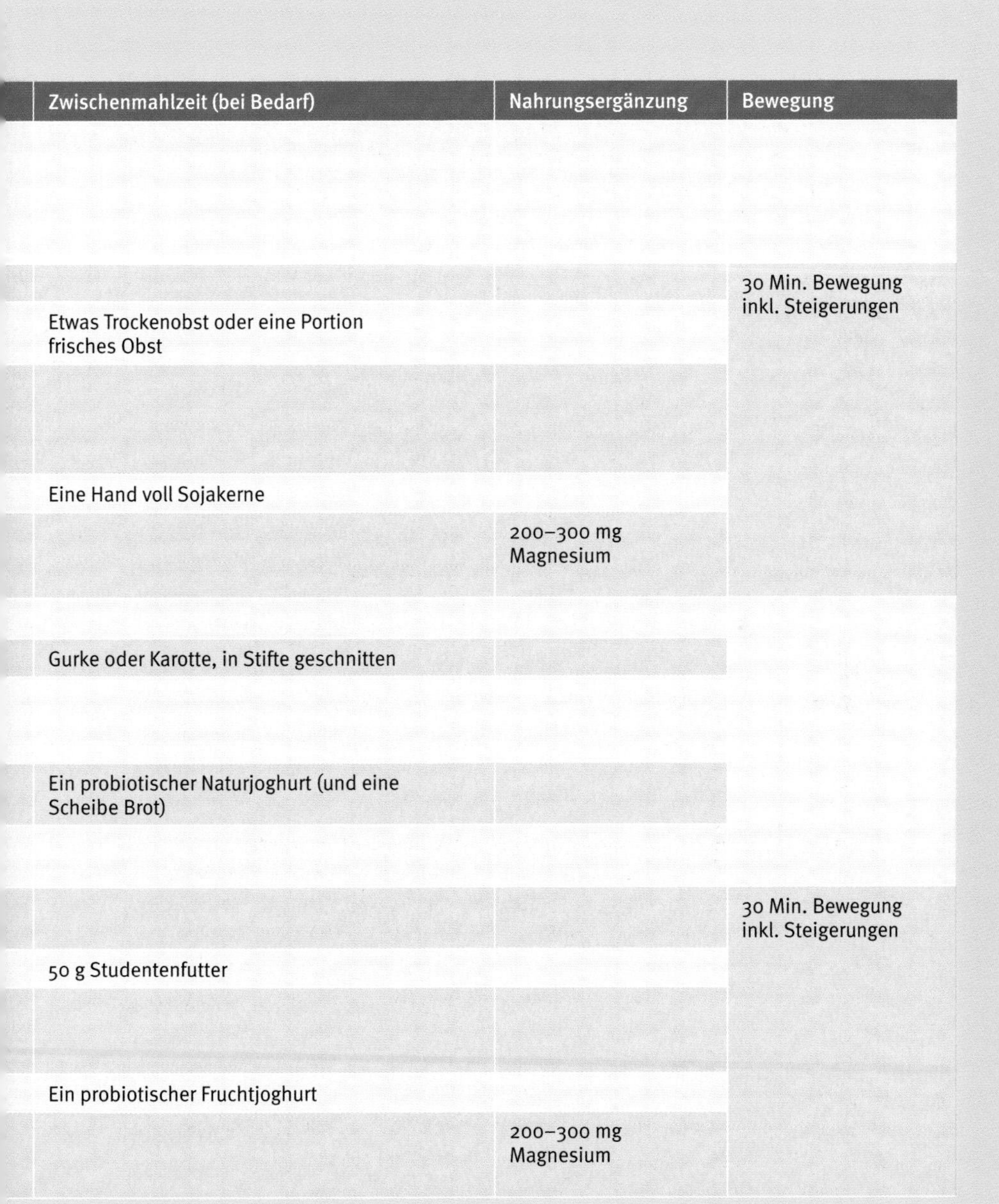

Zwischenmahlzeit (bei Bedarf)	Nahrungsergänzung	Bewegung
Etwas Trockenobst oder eine Portion frisches Obst		30 Min. Bewegung inkl. Steigerungen
Eine Hand voll Sojakerne		
	200–300 mg Magnesium	
Gurke oder Karotte, in Stifte geschnitten		
Ein probiotischer Naturjoghurt (und eine Scheibe Brot)		
50 g Studentenfutter		30 Min. Bewegung inkl. Steigerungen
Ein probiotischer Fruchtjoghurt		
	200–300 mg Magnesium	

Tag	Ernährung	
Donnerstag	Morgens	Müsli mit Frischobst und etwas Milch oder probiotischem Joghurt
	Vormittags	
	Mittags	Gurkensalat mit etwas Speiseleinöl angemischt Kleines Steak oder Hackfleischsauce mit Beilage Nachtisch: eine kleine Kugel Eis, Cappuccino oder Espresso
	Nachmittags	
	Abends	Fisch mit Gemüse und Naturreis (z. B. Fischpfanne*) 1/8 l Rotwein oder 1/4 l roter Traubensaft Nachtisch: Obst und je nach Lust Cappuccino oder Espresso
Freitag	Morgens	Ein Stück Obst, Vollkornbrot mit Belag nach Belieben
	Vormittags	
	Mittags	Blattsalat mit etwas Thunfisch und frischen Keimlingen Nudeln mit Tomatensauce und Pilzen oder Nudelauflauf mit Erbsen* Nachtisch: Obst
	Nachmittags	
	Abends	Kartoffelbrei mit Gemüsesauce oder Blechkartoffeln* und Gemüse 1/4 l roter Traubensaft Nachtisch: Cantuccini* (ital. Gebäck) zu Cappuccino oder Espresso
Samstag	Morgens	Haferflocken mit Obstsalat und etwas Milch oder mit probiotischem Joghurt, alternativ Frischkornmüsli mit Banane und Apfel*
	Vormittags	
	Mittags	1 großer Blattsalat mit Mais, frischen Keimlingen, gerösteten Nüssen, dazu frisches Baguette Nachtisch: ein kleines Stück Kuchen, Cappuccino oder Espresso
	Nachmittags	
	Abends	Getreide-* oder Hackfleischküchle* mit Gemüsebeilage 1/8 l Rotwein oder 1/4 l roter Traubensaft Nachtisch: Obst und je nach Lust Cappuccino oder Espresso
Sonntag		Lieblingsspeisen-Tag = Belohnungstag
Hinweis	Bewegung kann Walking, Nordic Walking, Laufen, Radfahren, Tanzen oder Schwimmen sein. Steigerungen: Man startet langsam und beschleunigt immer schneller, 50 m lang beim Walking; 200 m lang beim Radfahren; Intensitätsstufe: jeweils ca. 80–85 %.	

*** Rezepte siehe Ernährungs-Coach, Dr. Wolfgang Feil u.a., Haug Verlag, 2005.**

Zwischenmahlzeit (bei Bedarf)	Nahrungsergänzung	Bewegung
Eine Hand voll Datteln, Rosinen oder frische Trauben		
Eine Hand voll Sojakerne		
Gurke oder Karotte, in Stifte geschnitten		
Naturjoghurt (eine Scheibe Brot)		
		30 Min. Bewegung inkl. Steigerungen
Eine Hand voll Datteln, Rosinen oder frische Trauben		
Buttermilch und eine Scheibe Brot		
	200–300 mg Magnesium	

Aktiv für Darmgesundheit (gilt für 4 Wochen)

Ab Woche 2 werden die samstäglichen Bewegungseinheiten auf 45 Minuten gesteigert, und in der Woche 4 wird zusätzlich die Bewegungseinheit am Mittwoch auf 45 Minuten erhöht.

Tag	Ernährung	
	Generell	▪ Tägliche Trinkmenge 3 Liter: Trinken Sie vor jeder Mahlzeit ein großes Glas Mineralwasser, Orangensaftschorle, Leitungswasser oder Tee. Die restliche Menge verteilen Sie über den Tag. ▪ Gönnen Sie sich bei möglichst vielen Mahlzeiten Esskultur (schön gedeckter Tisch mit Tischtuch, Kerze usw.).
Montag	Morgens	Haferflocken mit Obstsalat und Milch oder mit probiotischem Joghurt
	Vormittags	
	Mittags	Großer Blattsalat mit Zwiebeln, Pilzen (und evtl. Knoblauch), Salatsauce mit etwas Speiseleinöl Ein Pizzabrot oder Gemüsenudeln italienisch* Nachtisch: Obst und je nach Lust Cappuccino oder Espresso
	Nachmittags	
	Abends	Erbsen mit Reis und Tomatensauce oder Tomatensalat 1/8 l Rotwein oder 1/4 l roter Traubensaft Nachtisch: Obst und je nach Lust Capuccino oder Espresso
Dienstag	Morgens	Ein Stück Obst, Vollkornbrot mit Belag nach Lust und Laune
	Vormittags	
	Mittags	Gurkensalat, Salatsauce mit etwas Speiseleinöl Ein leichtes Nudelgericht, z.B. Alio-Olio* Nachtisch: Obst und je nach Lust Capuccino oder Espresso
	Nachmittags	
	Abends	Gemüsesuppe mit Brot oder Getreidesuppe*; 1/4 l roter Traubensaft Nachtisch: 1/2 Reihe Schokolade, Cappuccino oder Espresso
Mittwoch	Morgens	Ein Stück Obst, Toastbrot oder 2 helle Brötchen mit Hüttenkäse und einer Tomate oder mit Honig oder Marmelade
	Vormittags	
	Mittags	Großer Salat mit Mais und roten Bohnen, Salatsauce mit etwas Speiseleinöl, dazu frisches Baguette Nachtisch: kleiner Pudding
	Nachmittags	
	Abends	Pellkartoffeln mit gedünstetem Gemüse oder Brokkoli mit Kokos-Lachs-Sauce* 1/8 l Rotwein oder 1/4 l roter Traubensaft Nachtisch: kleine Süßspeise, Cappuccino oder Espresso

Zwischenmahlzeit	Nahrungsergänzung	Bewegung
3–5 Trockenpflaumen	Präparat: probiotische Bifidus- oder Laktobakterien, hoch dosiert: 10 Milliarden Keime; in Kombination mit 1,5 g Oligofruktose bzw. Inulin	30 Min. Bewegung inkl. Steigerungen
Eine Hand voll Sojakerne		
Gurke oder Karotte, in Stifte geschnitten	Präparat: probiotische Bifidus- oder Laktobakterien, hoch dosiert: 10 Milliarden Keime; in Kombination mit 1,5 g Oligofruktose bzw. Inulin	10 Minuten für den Darm (Übungen S. 36)
3–5 Trockenpflaumen		
3–5 Trockenpflaumen	Präparat: probiotische Bifidus- oder Laktobakterien, hoch dosiert: 10 Milliarden Keime; in Kombination mit 1,5 g Oligofruktose bzw. Inulin	30 Min. Bewegung inkl. Steigerungen
Ein probiotischer Fruchtjoghurt		

Wochenpläne Body-Coach

Tag	Ernährung	
Donnerstag	Morgens	Müsli mit Frischobst und etwas Milch oder probiotischem Joghurt
	Vormittags	
	Mittags	Gurkensalat mit etwas Speiseleinöl angemischt Kleines Steak oder Hackfleischsauce mit Beilage Nachtisch: eine kleine Kugel Eis, Cappuccino oder Espresso
	Nachmittags	
	Abends	Fisch mit Gemüse und Naturreis (z. B. Fischpfanne*) 1/8 l Rotwein oder 1/4 l roter Traubensaft Nachtisch: Obst und je nach Lust Cappuccino oder Espresso
Freitag	Morgens	Ein Stück Obst, Vollkornbrot mit Belag nach Belieben
	Vormittags	
	Mittags	Blattsalat mit etwas Thunfisch und frischen Keimlingen, Nudeln mit Tomatensauce und Pilzen oder Nudelauflauf mit Erbsen* Nachtisch: Obst
	Nachmittags	
	Abends	Kartoffelbrei mit Gemüsesauce oder Blechkartoffeln* und Gemüse 1/4 l roter Traubensaft Nachtisch: Cantuccini* (ital. Gebäck) zu Cappuccino oder Espresso
Samstag	Morgens	Haferflocken mit Obstsalat und etwas Milch oder mit probiotischem Joghurt; alternativ Frischkornmüsli mit Banane und Apfel*
	Vormittags	
	Mittags	Großer Blattsalat mit Mais, frischen Keimlingen, gerösteten Nüssen, dazu frisches Baguette Nachtisch: ein kleines Stück Kuchen, Cappuccino oder Espresso
	Nachmittags	
	Abends	Getreide-* oder Hackfleischküchle* mit Gemüsebeilage 1/8 l Rotwein oder 1/4 l roter Traubensaft Nachtisch: Obst und je nach Lust Cappuccino oder Espresso
Sonntag		Lieblingsspeisen-Tag = Belohnungstag
Hinweis	Bewegung kann Walking, Nordic Walking, Laufen, Radfahren, Tanzen oder Schwimmen sein. Steigerungen: Man startet langsam und beschleunigt immer schneller, 50 m lang beim Walking; 200 m lang beim Radfahren; Intensitätsstufe: jeweils ca. 80–85 %.	

*** Rezepte siehe Ernährungs-Coach, Dr. Wolfgang Feil u.a., Haug Verlag, 2005.**

Zwischenmahlzeit	Nahrungsergänzung	Bewegung
		10 Minuten für den Darm (Übungen S. 36)
3–5 Trockenpflaumen		
	Präparat: probiotische Bifidus- oder Laktobakterien, hoch dosiert: 10 Milliarden Keime; in Kombination mit 1,5 g Oligofruktose bzw. Inulin	
Eine Hand voll Sojakerne		
		10 Minuten für den Darm (Übungen S. 36)
3–5 Trockenpflaumen	Präparat: probiotische Bifidus- oder Laktobakterien, hoch dosiert: 10 Milliarden Keime; in Kombination mit 1,5 g Oligofruktose bzw. Inulin	
Naturjoghurt		
		30 Min. Bewegung inkl. Steigerungen
Eine Hand voll Datteln, Rosinen oder frische Trauben		
	Präparat: probiotische Bifidus- oder Laktobakterien, hoch dosiert: 10 Milliarden Keime; in Kombination mit 1,5 g Oligofruktose bzw. Inulin	
Buttermilch, eine Scheibe Brot		
	Präparat: probiotische Bifidus- oder Laktobakterien, hoch dosiert: 10 Milliarden Keime; in Kombination mit 1,5 g Oligofruktose bzw. Inulin	
Bei entzündlichem Darm:	zusätzlich täglich 1 TL Ackerschachtelhalm-Konzentrat	
Bei Durchfall im Sport:	2–3 Stunden vor dem Sport: 2 EL getr. Heidelbeeren; 30 Min. vor dem Sport: 1 Tasse Schwarztee, 10 Minuten ziehen lassen	
Bei starkem Durchfall:	Heidelbeeren schon am Vortag	

Schwung für den Stoffwechsel (zum Abnehmen)

Der Wochenplan ist 4-mal durchzuführen, wobei ab Woche 2 die samstäglichen Bewegungseinheiten auf 45 Minuten gesteigert werden und in der Woche 4 auch die Bewegungseinheit am Mittwoch auf 45 Minuten erhöht wird.

Tag	Ernährung	
	Generell	▪ Tägliche Trinkmenge 3 Liter: Trinken Sie vor jeder Mahlzeit ein großes Glas Mineralwasser, Orangensaftschorle, Leitungswasser oder Tee. Die restliche Menge verteilen Sie über den Tag. ▪ Trinken Sie täglich 2 Tassen Ingwer-Wasser und grünen Tee. ▪ Gönnen Sie sich bei möglichst vielen Mahlzeiten Esskultur (schön gedeckter Tisch mit Tischtuch, Kerze usw.). ▪ Abends sollte die Portion kleiner sein.
Montag	Morgens	Haferflocken mit Obstsalat und Milch oder mit probiotischem Joghurt
	Vormittags	
	Mittags	Großer Blattsalat mit Zwiebeln, Pilzen (und evtl. Knoblauch), Salatsauce mit etwas Speiseleinöl. Ein Pizzabrot oder Gemüsenudeln italienisch* Nachtisch: Obst und je nach Lust Capuccino oder Espresso
	Nachmittags	
	Abends	Vorspeise: 3 Essiggurken; Hauptspeise: Erbsen mit Reis u. Tomatensauce oder Tomatensalat; 1/8 l Rotwein oder 1/4 l roter Traubensaft Nachtisch: ein Stück Obst und je nach Lust Cappuccino oder Espresso
Dienstag	Morgens	Ein Stück Obst, Vollkornbrot mit Belag nach Lust und Laune
	Vormittags	
	Mittags	Gurkensalat, Salatsauce mit etwas Speiseleinöl. Ein leichtes Nudelgericht, z. B. Alio-Olio*. Nachtisch: ein Stück Obst und je nach Lust Cappuccino oder Espresso
	Nachmittags	
	Abends	Dinner-Cancelling: 2 Gläser Tomatensaft, 3 Essiggurken
Mittwoch	Morgens	Ein Stück Obst, Toastbrot oder helles Brötchen mit Hüttenkäse und einer Tomate oder mit Honig oder Marmelade – zusätzlich 3 Essiggurken
	Vormittags	
	Mittags	Großer Salat mit Mais und roten Bohnen, Salatsauce mit etwas Speiseleinöl, dazu frisches Baguette. Nachtisch: kleiner Pudding
	Nachmittags	
	Abends	Pellkartoffeln mit gedünstetem Gemüse oder Brokkoli mit Kokos-Lachs-Sauce* 1/8 l Rotwein oder 1/4 l roter Traubensaft Nachtisch: kleine Süßspeise, Cappuccino oder Espresso

Zwischenmahlzeit (nur bei Bedarf)	Nahrungsergänzung	Bewegung
▮ Anstelle einer Zwischenmahlzeit kann auch ein Getränk mit stoffwechselaktivierenden Wildkräutern (Brennnessel, Ackerschachtelhalm), Gewürzen (Ingwer, Pfeffer) und Vitaminen genommen werden.		
Etwas Trockenobst oder eine Portion frisches Obst	Zink (10–20 mg) Kalziumpräparat (800 mg)	30 Min. Bewegung inkl. Steigerungen
Eine Hand voll Sojakerne	Chrom(200 µg) mit Meeresalgenmischung 200–300 mg Magnesium	
Gurke oder Karotte, in Stifte geschnitten	Zinkpräparat (10–20 mg) Kalziumpräparat (800 mg)	10 Minuten für Bauch und Rücken (siehe S. 36)
Ein probiotischer Naturjoghurt (und eine Scheibe Brot)	Chrompäparat (200 µg) mit Meeresalgenmischung 200–300 mg Magnesium	
30 g Studentenfutter	Zinkpräparat (10–20 mg) Kalziumpräparat (800 mg)	30 Min. Bewegung inkl. Steigerungen
Ein probiotischer Fruchtjoghurt	Chrom (200 µg) mit Meeresalgenmischung 200–300 mg Magnesium	

Wochenpläne Body-Coach

Tag	Ernährung	
Donnerstag	Morgens	Müsli mit Frischobst und etwas Milch oder probiotischem Joghurt
	Vormittags	
	Mittags	Gurkensalat mit etwas Speiseleinöl angemischt Kleines Steak oder Hackfleischsauce mit Beilage Nachtisch: eine kleine Kugel Eis, Cappuccino oder Espresso
	Nachmittags	
	Abends	Fisch mit Gemüse und Naturreis (z. B. Fischpfanne*) 1/8 l Rotwein oder 1/4 l roter Traubensaft Nachtisch: 1 Stück Obst und je nach Lust Cappuccino oder Espresso
Freitag	Morgens	Ein Stück Obst, Vollkornbrot mit Belag nach Belieben
	Vormittags	
	Mittags	Blattsalat mit etwas Thunfisch und frischen Keimlingen Nudeln mit Tomatensauce und Pilzen oder Nudelauflauf mit Erbsen* Nachtisch: Obst
	Nachmittags	
	Abends	Kartoffelbrei mit Gemüsesauce oder Blechkartoffeln* und Gemüse, 3 Essiggurken; 1/4 l roter Traubensaft Nachtisch: Cantuccini* (ital. Gebäck) zu Cappuccino oder Espresso
Samstag	Morgens	Haferflocken mit Obstsalat und etwas Milch oder mit probiotischem Joghurt; alternativ Frischkornmüsli mit Banane und Apfel*
	Vormittags	
	Mittags	Großer Blattsalat mit Mais, frischen Keimlingen, gerösteten Nüssen, dazu frisches Baguette, 3 Essiggurken Nachtisch: ein kleines Stück Kuchen, Cappuccino oder Espresso
	Nachmittags	
	Abends	3 Essiggurken, Getreide-* oder Hackfleischküchle* mit Gemüsebeilage 1/8 l Rotwein oder 1/4 l roter Traubensaft Nachtisch: ein Stück Obst und je nach Lust Cappuccino oder Espresso
Sonntag		Lieblingsspeisen-Tag = Belohnungstag
Hinweis	Bewegung kann Walking, Nordic Walking, Laufen, Radfahren, Tanzen oder Schwimmen sein. Steigerungen: Man startet langsam und beschleunigt immer schneller, 50 m lang beim Walking; 200 m lang beim Radfahren; Intensitätsstufe: jeweils ca. 80–85 %.	

*** Rezepte siehe Ernährungs-Coach, Dr. Wolfgang Feil u.a., Haug Verlag, 2005.**

Zwischenmahlzeit (nur bei Bedarf)	Nahrungsergänzung	Bewegung
	Zinkpräparat (10–20 mg)	
Eine Hand voll Datteln, Rosinen oder frische Trauben		
	Kalziumpräparat (800 mg)	
3 Essiggurken	Chrom (200 µg) mit Meeresalgenmischung	
	200–300 mg Magnesium	
	Zinkpräparat (10–20 mg)	10 Minuten für Bauch und Rücken (siehe S. 36)
Gurke oder Karotte, in Stifte geschnitten		
	Kalziumpräparat (800 mg)	
Naturjoghurt (und eine Scheibe Brot)	Chrom (200 µg) mit Meeresalgenmischung	
	200–300 mg Magnesium	
	Zinkpräparat (10–20 mg)	30 Min. Bewegung inkl. Steigerungen
3 Essiggurken		
	Kalziumpräparat (800 mg)	
Buttermilch und eine Scheibe Brot	Chrom (200 µg) mit Meeresalgenmischung	
	200–300 mg Magnesium	

Aktiv für das Bindegewebe

Der Wochenplan ist 4-mal durchzuführen, wobei ab Woche 3 die freitäglichen Bewegungseinheiten auf 45 Minuten gesteigert werden und in der Woche 4 auch die Bewegungseinheit am Mittwoch auf 45 Minuten erhöht wird.

Tag	Ernährung	
	Generell	▪ Tägliche Trinkmenge 3 Liter: Trinken Sie vor jeder Mahlzeit ein großes Glas Mineralwasser, Orangensaftschorle, Leitungswasser oder Tee. Die restliche Menge verteilen Sie über den Tag. ▪ Gönnen Sie sich bei möglichst vielen Mahlzeiten Esskultur (schön gedeckter Tisch mit Tischtuch, Kerze usw.).
Montag	Morgens	Haferflocken mit Obstsalat und Milch oder mit probiotischem Joghurt
	Vormittags	
	Mittags	Großer Blattsalat mit Zwiebeln, Pilzen (und evtl. Knoblauch), Salatsauce mit etwas Speiseleinöl. Ein Pizzabrot oder Gemüsenudeln italienisch* Nachtisch: Obst und je nach Lust Cappuccino oder Espresso
	Nachmittags	
	Abends	Erbsen mit Reis und Tomatensauce oder Tomatensalat 1/4 l roter Traubensaft, 20 ml Portwein oder Sherry Nachtisch: Obst und je nach Lust Cappuccino oder Espresso
Dienstag	Morgens	Ein Stück Obst, Vollkornbrot mit Belag nach Lust und Laune
	Vormittags	
	Mittags	Gurkensalat, Salatsauce mit etwas Speiseleinöl Ein leichtes Nudelgericht, z.B. Alio-Olio* Nachtisch: Obst und je nach Lust Cappuccino oder Espresso
	Nachmittags	
	Abends	Gemüsesuppe mit Brot oder Getreidesuppe*; 1/4 l roter Traubensaft Nachtisch: 1/2 Reihe Schokolade, Cappuccino oder Espresso
Mittwoch	Morgens	Ein Stück Obst, Toastbrot oder 2 helle Brötchen mit Hüttenkäse und einer Tomate oder mit Honig oder Marmelade
	Vormittags	
	Mittags	Großer Salat mit Mais und roten Bohnen, Salatsauce mit etwas Speiseleinöl, dazu frisches Baguette Nachtisch: kleiner Pudding
	Nachmittags	
	Abends	Pellkartoffeln mit gedünstetem Gemüse oder Brokkoli mit Kokos-Lachs-Sauce* 1/4 l roter Traubensaft, 20 ml Portwein oder Sherry Nachtisch: kleine Süßspeise, Cappuccino oder Espresso

Zwischenmahlzeit (bei Bedarf)	Nahrungsergänzung	Bewegung
	1 TL Ackerschachtelhalm-Konzentrat in einem Glas Wasser	30 Min. Bewegung inkl. Steigerungen
Etwas Trockenobst oder eine Portion frisches Obst		
Eine Hand voll Sojakerne	10 g Gelatine-Drink	
	200–300 mg Magnesium	
	1 TL Ackerschachtelhalm-Konzentrat in einem Glas Wasser	Bürstenmassage: Bauch, Beine, Po
Gurke oder Karotte, in Stifte geschnitten		
Ein probiotischer Naturjoghurt (und eine Scheibe Brot)	10 g Gelatine-Drink	
	200–300 mg Magnesium	
	1 TL Ackerschachtelhalm-Konzentrat in einem Glas Wasser	30 Min. Bewegung inkl. Steigerungen
50 g Studentenfutter		
Ein probiotischer Fruchtjoghurt	10 g Gelatine-Drink	
	200–300 mg Magnesium	

Wochenpläne Body-Coach

Tag	Ernährung	
Donnerstag	Morgens	Müsli mit Frischobst und etwas Milch oder probiotischem Joghurt
	Vormittags	
	Mittags	Gurkensalat mit etwas Speiseleinöl angemischt Kleines Steak oder Hackfleischsauce mit Beilage Nachtisch: eine kleine Kugel Eis, Cappuccino oder Espresso
	Nachmittags	
	Abends	Fisch mit Gemüse und Naturreis (z. B. Fischpfanne*) 1/4 l roter Traubensaft Nachtisch: Obst und je nach Lust Cappuccino oder Espresso
Freitag	Morgens	Ein Stück Obst, Vollkornbrot mit Belag nach Belieben
	Vormittags	
	Mittags	Blattsalat mit etwas Thunfisch und frischen Keimlingen Nudeln mit Tomatensauce und Pilzen oder Nudelauflauf mit Erbsen* Nachtisch: Obst
	Nachmittags	
	Abends	Kartoffelbrei mit Gemüsesauce oder Blechkartoffeln* und Gemüse 1/4 l roter Traubensaft, 20 ml Portwein oder Sherry Nachtisch: Cantuccini* (ital. Gebäck) zu Cappuccino oder Espresso
Samstag	Morgens	Haferflocken mit Obstsalat und etwas Milch oder mit probiotischem Joghurt, alternativ Frischkornmüsli mit Banane und Apfel*
	Vormittags	
	Mittags	Großer Blattsalat mit Mais, frischen Keimlingen, gerösteten Nüssen, dazu frisches Baguette Nachtisch: ein kleines Stück Kuchen, Cappuccino oder Espresso
	Nachmittags	
	Abends	Getreide-* oder Hackfleischküchle* mit Gemüsebeilage 1/4 l roter Traubensaft Nachtisch: Obst und je nach Lust Cappucchino oder Espresso
Sonntag	Morgens	Lieblingsspeisen-Tag = Belohnungstag
	Nachmittags	
	Abends	
Hinweis	Bewegung kann Walking, Nordic Walking, Laufen, Radfahren, Tanzen oder Schwimmen sein. Steigerungen: Man startet langsam und beschleunigt immer schneller, 50 m lang beim Walking; 200 m lang beim Radfahren; Intensitätsstufe: jeweils ca. 80–85 %.	

Zwischenmahlzeit (bei Bedarf)	Nahrungsergänzung	Bewegung
	1 TL Ackerschachtelhalm-Konzentrat in einem Glas Wasser	
Eine Hand voll Datteln, Rosinen oder frische Trauben		
Eine Hand voll Sojakerne	10 g Gelatine-Drink	
	200–300 mg Magnesium	
	1 TL Ackerschachtelhalm-Konzentrat in einem Glas Wasser	30 Min. Bewegung inkl. Steigerungen
Gurke oder Karotte, in Stifte geschnitten		
Naturjoghurt (und eine Scheibe Brot)	10 g Gelatine-Drink	
	200–300 mg Magnesium	
	1 TL Ackerschachtelhalm-Konzentrat in einem Glas Wasser	Bürstenmassage: Bauch, Beine, Po
Eine Hand voll Datteln, Rosinen oder frische Trauben		
Buttermilch und eine Scheibe Brot	10 g Gelatine-Drink	
	200–300 mg Magnesium	
	1 TL Ackerschachtelhalm-Konzentrat in einem Glas Wasser	250–1000 m Schwimmen
	10 g Gelatine-Drink	
	200–300 mg Magnesium	
	Bei Bedarf können alle Nahrungsergänzungen dauerhaft verwendet werden.	

Aktiv bei Arthrose (gilt für 4 Wochen)

Ab Woche 3 werden die freitäglichen Bewegungseinheiten auf 45 Minuten gesteigert und in der Woche 4 wird auch die Bewegungseinheit am Mittwoch auf 45 Minuten erhöht.

Tag	Ernährung	
	Generell	▮ Tägliche Trinkmenge 3 Liter: Trinken Sie vor jeder Mahlzeit ein großes Glas Mineralwasser, Orangensaftschorle, Leitungswasser oder Tee. Die restliche Menge verteilen Sie über den Tag. ▮ Gönnen Sie sich bei möglichst vielen Mahlzeiten Esskultur (schön gedeckter Tisch mit Tischtuch, Kerze usw.).
Montag	Morgens	Haferflocken mit Obstsalat und Milch oder mit probiotischem Joghurt
	Vormittags	
	Mittags	Großer Blattsalat mit Zwiebeln, Pilzen (und evtl. Knoblauch), Salatsauce mit etwas Speiseleinöl. Ein Pizzabrot oder Gemüsenudeln italienisch* Nachtisch: Obst und je nach Lust Capuccino oder Espresso
	Nachmittags	
	Abends	Erbsen mit Reis und Tomatensauce oder Tomatensalat 1/4 l roter Traubensaft, 20 ml Portwein oder Sherry Nachtisch: Obst und je nach Lust Capuccino oder Espresso
Dienstag	Morgens	Ein Stück Obst, Vollkornbrot mit Belag nach Lust und Laune
	Vormittags	
	Mittags	Gurkensalat, Salatsauce mit etwas Speiseleinöl Ein leichtes Nudelgericht, z. B. Alio-Olio* Nachtisch: Obst und je nach Lust Cappuccino oder Espresso
	Nachmittags	
	Abends	Gemüsesuppe mit Brot oder Getreidesuppe* 1/4 l roter Traubensaft Nachtisch: 1/2 Reihe Schokolade, Capuccino oder Espresso
Mittwoch	Morgens	Ein Stück Obst, Toastbrot oder 2 helle Brötchen mit Hüttenkäse und einer Tomate oder mit Honig oder Marmelade
	Vormittags	
	Mittags	Großer Salat mit Mais und roten Bohnen, Salatsauce mit etwas Speiseleinöl, dazu frisches Baguette. Nachtisch: kleiner Pudding
	Nachmittags	
	Abends	Pellkartoffeln mit gedünstetem Gemüse oder Brokkoli mit Kokos-Lachs-Sauce* 1/4 l roter Traubensaft, 20 ml Portwein oder Sherry Nachtisch: kleine Süßspeise, Cappuccino oder Espresso

Zwischenmahlzeit (nach Bedarf)	Nahrungsergänzung	Bewegung
	1 TL Ackerschachtelhalm-Konzentrat in einem Glas Wasser	30 Min. Aqua-Jogging
Etwas Trockenobstoder eine Portion frisches Obst		
Eine Hand voll Sojakerne	10 g Gelatine-Drink	
	Je 1 g Glucosamin, Chondroitin und Vitamin C mit einem Glas Orangensaft 1000 mg Teufelskralle (Kapseln)	
	1 TL Ackerschachtelhalm-Konzentrat in einem Glas Wasser	
Gurke oder Karotte, in Stifte geschnitten		
Ein probiotischer Naturjoghurt (und eine Scheibe Brot)	10 g Gelatine-Drink	
	Je 1 g Glucosamin, Chondroitin und Vitamin C mit einem Glas Orangensaft 1000 mg Teufelskralle (Kapseln)	
	1 TL Ackerschachtelhalm-Konzentrat in einem Glas Wasser	30 Min. Bewegung: Walking oder Radfahren
50 g Studentenfutter		
Ein probiotischer Fruchtjoghurt	10 g Gelatine-Drink	
	Je 1 g Glucosamin, Chondroitin und Vitamin C mit einem Glas Orangensaft 1000 mg Teufelskralle (Kapseln)	

Tag	Ernährung	
Donnerstag	Morgens	Müsli mit Frischobst und etwas Milch oder probiotischem Joghurt
	Vormittags	
	Mittags	Gurkensalat mit etwas Speiseleinöl angemischt. Kleines Steak oder Hackfleischsauce mit Beilage. Nachtisch: eine kleine Kugel Eis, Cappuccino oder Espresso
	Nachmittags	
	Abends	Fisch mit Gemüse und Naturreis (z. B. Fischpfanne*) 1/4 l roter Traubensaft Nachtisch: Obst und je nach Lust Cappuccino oder Espresso
Freitag	Morgens	Ein Stück Obst, Vollkornbrot mit Belag nach Belieben
	Vormittags	
	Mittags	Blattsalat mit etwas Thunfisch und frischen Keimlingen. Nudeln mit Tomatensauce und Pilzen oder Nudelauflauf mit Erbsen*. Nachtisch: Obst
	Nachmittags	
	Abends	Kartoffelbrei mit Gemüsesauce oder Blechkartoffeln* und Gemüse 1/4 l roter Traubensaft, 20 ml Portwein oder Sherry Nachtisch: Cantuccini* (ital. Gebäck) zu Cappuccino oder Espresso
Samstag	Morgens	Haferflocken mit Obstsalat und etwas Milch oder mit probiotischem Joghurt, alternativ Frischkornmüsli mit Banane und Apfel*
	Vormittags	
	Mittags	Großer Blattsalat mit Mais, frischen Keimlingen, gerösteten Nüssen, dazu frisches Baguette. Nachtisch: ein Stückchen. Kuchen, Cappuccino oder Espresso
	Nachmittags	
	Abends	Getreide-* oder Hackfleischküchle* mit Gemüsebeilage 1/4 l roter Traubensaft Nachtisch: Obst und je nach Lust Cappuccino oder Espresso
Sonntag	Morgens	Lieblingsspeisen-Tag = Belohnungstag
	Nachmittag	
	Abend	

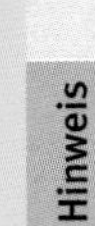

Hinweis	Statt Walking können Sie auch Nordic Walking machen. Statt Aqua-Jogging können Sie auch in die Wassergymnastik gehen – gönnen Sie sich dazu den Warmbadetag.

*** Rezepte siehe Ernährungs-Coach, Dr. Wolfgang Feil u.a., Haug Verlag, 2005.**

Zwischenmahlzeit (nach Bedarf)	Nahrungsergänzung	Bewegung
	1 TL Ackerschachtelhalm-Konzentrat in einem Glas Wasser	
Eine Hand voll Datteln, Rosinen oder frische Trauben		
Eine Hand voll Sojakerne	10 g Gelatine-Drink	
	Je 1 g Glucosamin, Chondroitin und Vitamin C mit einem Glas Orangensaft 1000 mg Teufelskralle (Kapseln)	
	1 TL Ackerschachtelhalm-Konzentrat in einem Glas Wasser	30 Min. Bewegung: Schwimmen
Gurke oder Karotte, in Stifte geschnitten		
Naturjoghurt (und eine Scheibe Brot)	10 g Gelatine-Drink	
	Je 1 g Glucosamin, Chondroitin und Vitamin C mit einem Glas Orangensaft 1000 mg Teufelskralle (Kapseln)	
	1 TL Ackerschachtelhalm-Konzentrat in einem Glas Wasser	
Eine Hand voll Datteln, Rosinen oder frische Trauben		
Buttermilch und eine Scheibe Brot	10 g Gelatine-Drink	
	Je 1 g Glucosamin, Chondroitin und Vitamin C mit einem Glas Orangensaft 1000 mg Teufelskralle (Kapseln)	
	1 TL Ackerschachtelhalm-Konzentrat in einem Glas Wasser	30 Min. Bewegung: Walking oder Radfahren
	10 g Gelatine-Drink	
	Je 1 g Glucosamin, Chondroitin und Vitamin C mit einem Glas Orangensaft 1000 mg Teufelskralle (Kapseln)	
	Bei Bedarf können alle Nahrungsergänzungen dauerhaft verwendet werden.	

Literaturverzeichnis

Lothar Burgerstein, Michael Zimmermann, Hugo Schurgast, Uli P. Burgerstein: Burgersteins Handbuch Nährstoffe, Karl F. Haug Verlag, Stuttgart 2002

Dr. Wolfgang Feil, Sonja Oberem, Andrea Reichenauer-Feil: Ernährungs-Coach, Karl F. Haug Verlag, Stuttgart 2005

Dr. Wolfgang Feil, Dr. Thomas Wessinghage: Ernährung und Training, Wessp, Nürnberg 2005

Jörg Löhr, Ulrich Pramann: Lebe deine Stärken, Econ, München 2004

Jörg Löhr, Ulrich Pramann: So haben Sie Erfolg, Südwest-Verlag, München 2001 (auch als CD oder MC-Audioprogramm)

Bodo Schäfer: Der Weg zur finanziellen Freiheit, dtv, München 2003

Louise L. Hay: Wahre Kraft kommt von Innen, Ullstein Verlag, München 2005

John Gray: Männer sind anders. Frauen auch, Goldmann, München 1998 (auch als MC-Audioprogramm)

Dale Carnegie: Wie man Freunde gewinnt, Scherz, Bern 2002

René Egli: Das LOL²A-Prinzip oder Die Vollkommenheit der Welt, Editions d'Olt, Oetwil 1999

Barbara Berckhan: Die etwas gelassenere Art, sich durchzusetzen, Heyne, München 2003

Daniel Goleman: E Q Emotionale Intelligenz, dtv, München 1997

Michael Kutzner: Die Motivationsformel, Kaufhold, Baden-Baden 2004

Michael Kutzner: Die Fitness-Formel, Kaufhold, Baden-Baden 2002

Heinrich Kasper, Monika Wild, Walter Burghardt: Ernährungsmedizin und Diätetik, Urban & Fischer, München 2000

Herbert Steffny: Walking, Südwest-Verlag, München 2001

Herbert Steffny: Das große Laufbuch, Südwest-Verlag, München 2004

Vera F. Birkenbihl: Kommunikationstraining, mvg, Landsberg 1992

Lothar Seiwert: Selbstmanagement, Gabal, Landsberg 1989

W. Graichen, L. Seiwert: Das ABC der Arbeitsfreude, mvg, Landsberg 1989

Ronald J. Maughan, Robert Murray: Sports Drinks, CRC Press, 2001

M. H. Williams: Ernährung, Fitness und Sport, Ullstein Mosby, Berlin 1997

Seminarempfehlungen

Body-Coach-Seminare
www.allsani.de

Laufen und Bewegung
Herbert Steffny
www.herbertsteffny.de

Michael Kutzner
www.michael-kutzner.de

Thomas Wessinghage
www.thomas-wessinghage.de

Peter Greif
www.greif.de

Pro.TrainingTours GmbH
www.protrainingtours.de

Christian Röhrs
www.nordic-walking.net

Persönlichkeitstraining
Jörg Löhr Erfolgstraining
www.joerg-loehr.com

HelfRecht-Seminare
www.helfrecht.de

Bezugsquellen

FitVita Ausleitungstee nach Dr. Dinkler-Evers
www.fit-food-service.com

Ackerschachtelhalm-Konzentrat und andere gezielte Nahrungsergänzungen zum Body-Coaching
www.allsani.de

Ernährungs-Check nach Dr. Wolfgang Feil
www.ultra-sports.de

Stichwortverzeichnis

Bibliografische Information der Deutschen Bibliothek
Die Deutsche Bibliothek verzeichnet diese Publikation in der Deutschen Nationalbibliografie; detaillierte bibliografische Daten sind im Internet über http://dnd.ddb.de abrufbar

Umschlaggestaltung und Layout:
CYCLUS · Visuelle Kommunikation

Programmplanung: Dr. Elvira Weißmann-Orzlowski
Lektorat: Christiane Blass, Köln

Bildnachweis:
Umschlagsfoto vorn und hinten: ZEFA
arteria photography: S. 39, 60, 92
Corbis: S. 11
doc-stock: S. 72, 74, 87, 101, 113, 123
POLAR Deutschland: S. 10, 15, 16, 27, 35, 45, 53, 55, 56, 76–77, 78, 79, 82, 89 beide, 91, 103, 109, 126–127
RONO Innovations: S. 6–7, 8, 12, 17, 19, 34, 37, 50–51, 52, 58, 71, 90 beide, 105
Swix Deutschland: S. 20–21
Alle weiteren Fotos:
Archiv der Thieme Verlagsgruppe
Tabellen und Grafiken: Valentin Feil

Oswald-Hesse-Straße 50 · 70469 Stuttgart
Printed in Germany

Satz: CYCLUS · Media Produktion
Druck: Westermann Druck Zwickau GmbH

ISBN 3-8304-2197-4 2 3 4 5 6

RONO®
INNOVATIONS
RUNNING WALKING
LIFESTYLE BIKE
Sommer 2006